転換期の日本へ

「パックス・アメリカーナ」か「パックス・アジア」か

ジョン・W・ダワー John W. Dower
ガバン・マコーマック Gavan McCormack
明田川 融　吉永ふさ子［訳］

NHK出版新書
423

転換期の日本へ――「パックス・アメリカーナ」か「パックス・アジア」か　目次

序　言……9

第一章　サンフランシスコ体制――その過去、現在、未来　ジョン・W・ダワー……19

1　サンフランシスコ体制の歪な起源……23

2　問題を孕む八つの遺産……26

一　沖縄と「二つの日本」……28

二　未解決の領土問題……31

三　米軍基地……40
四　再軍備……43
五　「歴史問題」……46
六　「核の傘」……52
七　中国と日本の脱亜……60
八　「従属的独立」……71
3　現在の不確実性……75
4　恐怖と希望……86
第二章　属国——問題は「辺境」にあり　ガバン・マコーマック……115
1　サンフランシスコ体制が生んだ「根本的問題」……116
ダレスの言った「根本的問題」／「占領軍」から「安保の軍隊」へ
軍事面だけにとどまらない「従属」／「対米追従」か「自主独立」か——相克の七〇年間
中国の台頭によって揺らぐサンフランシスコ体制／米国のASBと「太平洋回帰」構想

2
沖縄——ないがしろにされつづける民意……… 132
沖縄の歴史が持つ多様な経験／民主主義台頭への懸念と密約
基地移転をめぐるごまかし／合意から協定への「昇格」
潰された「国際都市形成構想」／鳩山政権に向けられた非難と恫喝
ずさんだった辺野古アセス／「属国」へのカムバック
沖縄差別のシンボルとしてのオスプレイ／「沖縄県民の総意」を無視する政府

3
馬毛島——秘密裏に進む軍事基地計画……… 155
癒着と腐敗の場と化した「宝の島」／観光地化計画から軍事基地計画へ
凄まじい自然破壊による生物種減少／基地化への抗議

4
八重山諸島、与那国島——四つの難題……… 163
過疎化する与那国町／与那国の「自立へのビジョン」／自衛隊誘致を中心とした島再生プラン
自衛隊をめぐり島が二分された与那国／八重山教科書問題／強行された教科書選定
圧力をかける政府と文科省／軍配備計画とリンクする教科書選定

5 尖閣(釣魚)諸島問題——五つの論争点……185
尖閣(釣魚)諸島帰属問題の起源/「棚上げ」という暗黙の了解
「固有」の領土という用語/日中戦争前と酷似する状況/中国の真意はどこにあるか
事態は差し迫っている/本土とは違う沖縄の思い

6 辺境の島々と北朝鮮——「正常化」交渉の挫折と核実験……203
消えた「平和と協力の海」構想/交渉よりも強硬措置を選ぶ日本

7 「辺境」は「中心」へ……207
アジア地域主義の道/協力か、軍事化か/真の「戦後レジームからの脱却」
「積極的平和主義」の国の「平和隊」

第三章 ［対談］東アジアの現在を歴史から考える

ジョン・W・ダワー
ガバン・マコーマック……237

1 属国の代償……246
2 歴史問題論争――戦争の記憶と忘却……255
3 朝鮮半島問題――核と拉致をめぐって……266
4 改憲――揺らぐ反軍国主義の理想……278
5 領土紛争と東アジアのナショナリズム……286
6 台頭する中国のゆくえ……293
7 「パックス・アメリカーナ」か「パックス・アジア」か……302

協力 野口修司 NHK
校閲 酒井正樹 福田光一
DTP NOAH
地図作成 アトリエ・プラン

本書関連地図

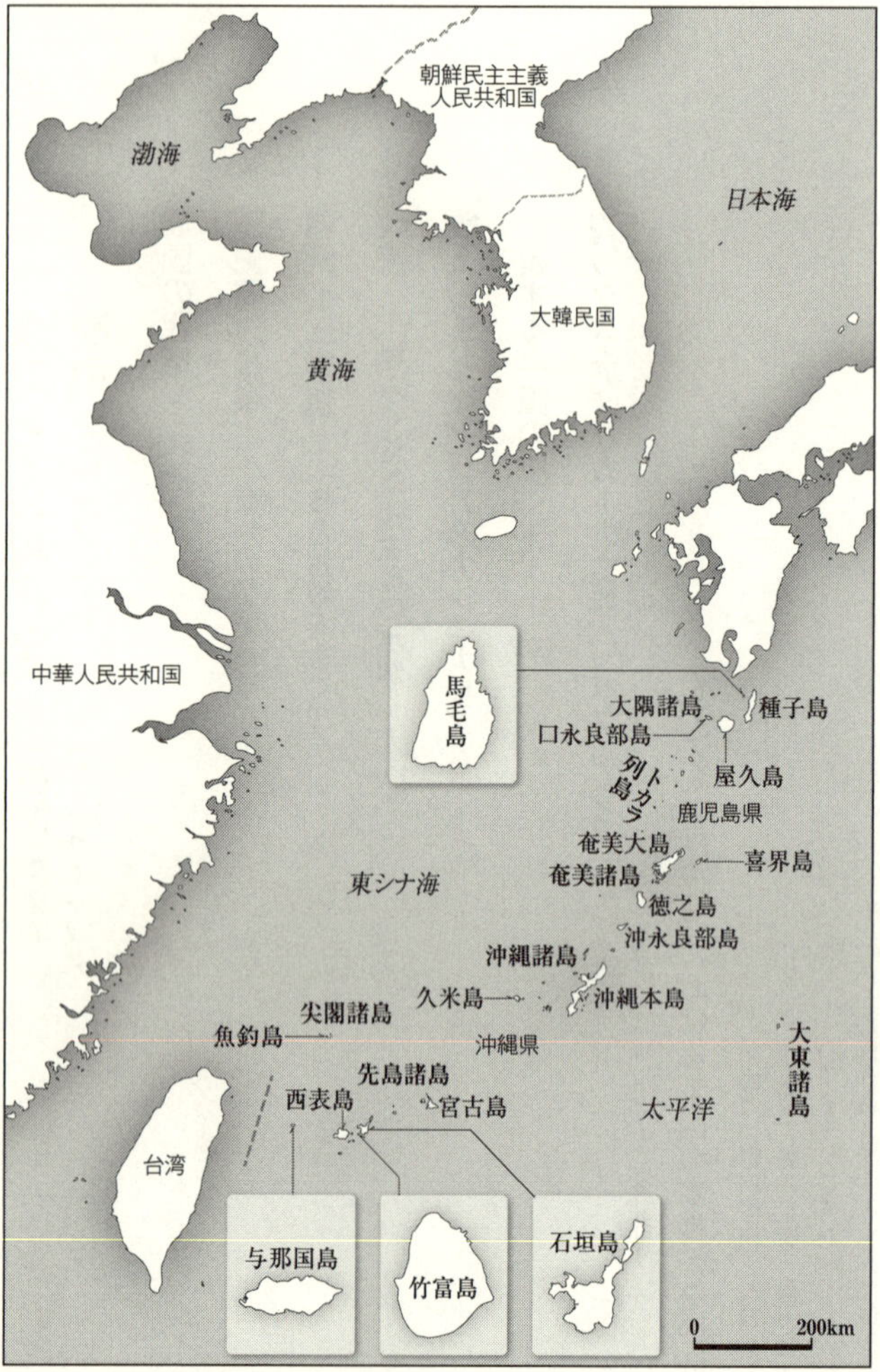
朝鮮民主主義
人民共和国
渤海
日本海
大韓民国
黄海
中華人民共和国
馬毛島
大隅諸島
種子島
口永良部島
屋久島
トカラ列島
鹿児島県
奄美大島
奄美諸島
喜界島
東シナ海
徳之島
沖永良部島
沖縄諸島
久米島
沖縄本島
尖閣諸島
魚釣島
沖縄県
大東諸島
先島諸島
西表島
宮古島
太平洋
台湾
与那国島
竹富島
石垣島
0
200km

序　言

東アジアは大きな転換期を迎えている。

二〇一〇年、中国は日本を追い越し、世界第二の経済大国となった。今世紀半ばまでに、世界の国内総生産（ＧＤＰ）の総額に占める中国の割合はアメリカを大きく引き離すものと予想されている。

アジア太平洋地域では、第二次世界大戦以来「パックス・アメリカーナ」（アメリカによる平和）と言われる米国の戦略的支配が圧倒的であったが、近年その力に翳《かげ》りが見え始め、それと中国の台頭がたまたま同時期に重なった。だが、ますます強力な軍事力を持つ大国として中国が出現したことによって、アジア太平洋地域における米国の覇権がその分だけ低下したというわけではない。米国の衰退には、９・11以後、テロとの戦争を宣言し、アフガニスタンやイラクへの出兵という選択がもたらした結果として、物心両面で消《しょう》耗《もう》、疲弊してしまった現実が反映されている。

そして日本は？　日本は一九九〇年代初期の経済と金融バブルの崩壊に始まる「失われた二〇年」から脱却する道をまだ見つけられないでいる。「ジャパン・アズ・ナンバーワン」が人口に膾炙《かいしゃ》した一九七〇年代、八〇年代は、まるで短い寸劇だったかのように、今では遠い昔の出来事に思える。

しかし、日本にとって問題は、経済面で自信とエネルギーを取り戻すことだけにとどまらない。多くの問題があるにもかかわらず、日本経済はいぜん強力である。この国の人的資源はなお傑出している。日本の難題は、新しい「アジア太平洋」共同体をイメージし、敵対的対立ではなく経済的・文化的な協力関係の構築に資源とエネルギーを注ぐことのできる指導者が存在しないことにある。日々生起する危機を乗り切るだけで精一杯ということではなく、指導者には、将来に対する聡明な洞察力と勇気が何よりも必要とされているのだ。

いずれか一つの国が圧倒的支配力を持つことのない、ある種の「パックス・アジア」（アジアによる平和）構想を描いてみると、そこでは、対立ではなく共同体的な活動が基本となり、何よりも実質的に平等であることが参加国の必須条件となる。これらは理想的目標であるが、達成可能な目標でもある。話し合いで解決可能な緊張や問題に対して、武力による威嚇《いかく》と戦争によって対処するという反応をあまりにも頻繁に目にするが、こうした平和構築の方向へ向けて思考やエネルギーを注ぐ方がはるかに現実的ではないのか。

欧州連合（ＥＵ）は、かつて血まみれの戦争を繰り返した大陸諸国が、それぞれの違いを認め、永続的平和を達成するために努力してきたことを如実に示す例である。ヨーロッパ統合の先例が示すように、アジアにおいて欧州連合と同様な共同体を作り上げることは、すべての関係各国にとって途方もない挑戦となる。中国、韓国、日本、米国（アジアの国とは言えないが、日米関係のしがらみから切り離せない）といった国々が、権力分担（power sharing）を行う難しさを想像してみてほしい。特に、今まで米国の「属国」として存在してきた日本という国の指導者たちにとって、それがどれほどの難題であるかは明白であろう。

第二次世界大戦後の米国――を主力とする連合国――による日本占領以来、日本の指導者たちにとっては、ワシントンの政策に黙々と従うことが得策であった。日米の意見が食い違うことはあっても、重要な国際的問題において深刻な見解の相違が生じることはまれであった。冷戦の最中になされたワシントンのきわめて愚かな政策、たとえば一九五二年から一九七二年までつづいた中国封じ込め政策においても、日本にはそれに従う以外の選択肢はなかった。沖縄をいわゆる本土から分離し、米軍政下に置くことも文句も言わずに受け入れた。米国の歯止めのない核政策を支持し、重要な局面では中国や北朝鮮に対し、核で脅迫することをワシントンに示唆することもした。日本は一九六〇年代、七〇年代のインドシナ戦争や9・11以後のイラク戦争などにおいても、それがどれほど残虐なものであれ、米国の戦争を献身的に支持してきた。一九七二年の沖縄に対する日本の主権回復も、同年の米中和解も、それから約二〇年後の冷戦の終結も、日本の対米従属を弱めることにはつながらなかった。

アジアにおける恒久平和をどうしたら達成できるのかとあらためて考えるとき、こうした歴史的な出来事を並べてみると、日本が自主的に建設的な役割を担うことは簡単なことではない。また過去の一時期、日本がアジアの新秩序建設に邁進《まいしん》した記憶がアジア諸国に残っていることが問題を複雑にする。大失敗に終わった、大東亜共栄圏で頂点に達した大日本帝国時代のアジア新秩序建設の構想は、今日、日本が音頭をとって新アジア共同体構想を強く提唱することにブレーキをかける。

現在の転換期にまで導いた、第二次世界大戦後の歴史を理解し、認識することなしには、現在および将来の東アジアについて鋭い考察を加えることはできない。

そこで私たち著者二人は、現在および将来の東アジアをテーマに、二つの方向から歴史的考察を試みる。

二人とも歴史学者として、近現代世界のなかの日本に焦点を定めて研究してきた。私たちはともに一九六〇年代に研究を始め、敗戦後の日本社会から高度成長期を経て、世界の大国へと驚異的な変身を遂げた日本をもう五〇年以上も観察してきた。

私たちは、一九六〇年代の政治活動、つまり抗議運動に関わった世代でもある。私たちの場合、その抗議運動は、特に米国が行った恐ろしいベトナム戦争（実際はインドシナ全体におよんだ）に対する反戦運動へと向かった。私たち二人——一人は米国から、一人はオーストラリアから日本にやって来た——は、このベトナム戦争に対する日本の際限もない支援ぶりを目撃し、また軍事同盟関係における「帝国」と「従属国」という日米関係の性格をまざまざと見せつけられ、それを観察しつづけてきた。

私たちは、お互いの研究についてずいぶん前からよく知っていたが、最近まで共同で仕事をしたことはなかった。二〇一二年一月、NHKの衛星放送（NHK BS－1）で放映された、「巻頭言特集　震災後　日本と世界への眼」と題する番組に一緒に出演する機会に恵まれた。その数カ月後、私たちはカナダのウォータールー大学の後援で「サンフランシスコ体制：その持続、変容、アジア太平洋の和解」と題する会議で報告を行った。本書に収められたダワー論文は、同大学で行った報告（同報告は英語版の会議録に収められることになっている）に大幅に書き加えたものである。

＊＊＊

ユーモアに富んだ米国の作家マーク・トゥエインは、「歴史それ自体は繰り返さない。しかし、歴史は韻を踏む」と言った。この言葉には洞察と智恵があふれている。歴史はそれ自体そっくり繰り返さないかもしれない。しかし、過去を真剣に吟味することによって、私たちは啓発的な遺産や教訓に対して目を開かされることになる。

今日にいたるまでアジア太平洋地域における権力関係を決定づけてきた「パックス・アメリカーナ」という問題に取り組むとき、そして、果たしてこれを、もっと広範な「パックス・アジア」に変革することができるのだろうかと問うとき、歴史の起点は明確である。それは一九五一年から五二年にかけて形成された、いわゆるサンフランシスコ体制に求めることができる。冷戦下で結ばれ、中国ならびに分断された朝鮮半島を排除した講和条約によって日本が独立を回復したのが、その体制である。同時にこの「片面講和」は、のちに米国の政策立案者すらおそらく戦後ワシントンが交渉した最も不平等な条約と認めた日米二国間安全保障条約と一体不可分のものであった。

この序言のあとに収められた、「サンフランシスコ体制――その過去、現在、未来」と題するダワー論文は、一九五一年から五二年にかけてまとめあげられた安全保障関係が日本に遺した、問題を孕《はら》む八つの遺産を検討する。八つの遺産とは、すなわち、(一)沖縄と「二つの日本」、(二)未解決の領土問題、(三)米軍基地、(四)再軍備、(五)「歴史問題」、(六)「核の傘」、(七)中国と日本の脱亜、(八)「従属的独立」、のことである。

次いでダワー論文は、サンフランシスコで結ばれた対日講和・日米安保両条約を起点とする「パックス・アメリカーナ」に対して、主要な経済・軍事大国としての中国がどのような挑戦を行っているのかを検討する。その際、「エア・シー・バトル」(ASB)として知られ、論争を呼んでいる米国の軍事政策に関心を向けていく。この政策は、「パックス・アメリカーナ」を永続させ、最新レベルのハイテク兵器を導入することによって軍事的な対中封じ込めを強化することを目論むものである。その攻撃的な計画は、米軍部内だけでなく、米国と日本および韓国といった同盟国間における新段階の「相互運用性」をも想定している。

この「エア・シー・バトル」政策は、ここで批判されているように、和解と平和の処方箋ではなく、アジアで進行・拡大中のハイテク軍拡競争を進めるためのものだ。日本の指導者層には、「パックス・アメリカーナ」の対立的な思考と構造が深く染み込んでいるが、「エア・シー・バトル」政策は、これまで同様に振る舞うことが日本にとっての幸せなのだという、彼らの心情をも反映したものになっている。

本書第二章のマコーマック論文は、過去から現在にいたる「属国」としての日本が担う役割が具体的にどのような形で表れているのかについて、そしてまた、今日の論争と紛争において東シナ海の周辺領域が果たすとりわけ重要な役割について、詳しく論じる。マコーマック論文は、沖縄本島に加えて、馴染みのうすい馬毛島《まげしま》（琉球弧の北部に位置し、鹿児島県に属する）や与那国島《よなぐにじま》（琉球弧の南部、台湾の沖合に位置する）、激しい対立が起こっている尖閣（釣魚）諸島といった島々をめぐる問題を検討の俎上にのせている。

サンフランシスコ体制の持つ抑圧性は、同体制の始まりから、沖縄とこれらの海洋区域が持っている曖昧な性格にはっきりと表れていた。一九五一年に対日講和条約と日米安保条約が署名されたとき、米国にとっては軍隊をアジア全域に自由に投入できることがきわめて重要であると考えられ、沖縄は戦略的な「太平洋の要石」（keystone of the Pacific）として日本から切り離された。二〇年後、沖縄が日本に「返還される」までのあいだに、軍事基地体制が強固に築かれ、米国の空軍と海兵隊が沖縄に居すわることになった。

二〇一四年の沖縄の現実は——一九五一年と同様に——一九五一年に執《と》られた処遇の下で、いぜん米国の軍事目的に従属させられたままである。ワシントンと東京は、この「軍事第一」主義を維持し深化させることを決定したように見えるが、その一方で、沖縄の地方政府も市民も、驚くほど強固に団結して中央政府のそうした決定に抵抗している。総じてこの地域では、東シナ海における平和と協力のネットワークを構築しようという沖縄の市民社会の努力が見られ、そこから数多くの重要な教訓を得ることができる。

＊＊＊

本書第三章には、二〇一三年六月と七月の数週にわたって行われた私たちの対談を収録した。今日論争となっている問題を幅広くあつかったやり取りは、それらの問題が――マーク・トゥエインに倣って言えば――遠くない過去とどのように「韻を響きあわせているのか」ということを常に意識しながら行われた。

この対談をやりとげたことは、私たち二人にとって新鮮な経験となった。読者諸氏も気づかれると思うが、私たちは必ずしも意見が一致しないこともある。私たちは、異なる出来事、異なる意味合い、異なる歴史の「韻の響きあい」に関心を向けている。私たちには、悲観主義と対立する楽観主義についても考え方の温度差がある。

だが同時に、この対談では大きな未来図が共有されている。そして私たちは、未来には対立の歴史も今日の国際関係を混乱させている論争も必ず克服できるだろう、という希望を共有している。

二〇一三年七月一五日

ジョン・W・ダワー
ガバン・マコーマック

第一章　サンフランシスコ体制
——その過去、現在、未来

ジョン・W・ダワー〔明田川 融 訳〕

このところ日本、中国、米国のあいだで表面化している論争や緊張は歴史の遺産とけっしてかけ離れたところにあるのではない。

たとえば、中国のとある一日を想起されたい。二〇一二年九月一八日である。中国の多数の都市で起きたデモの参加者は、東シナ海に位置し、日本語では尖閣諸島、中国語では釣魚島として知られる小さな無人島に対する日本の領有権主張に抗議した。その抗議のありさまは、日の丸の旗を冒瀆《ぼうとく》し、中国に拠点を置く日本の企業や工場を一時的な閉鎖に追い込むほどだった。

時をおなじくして、中国の指導者たちは、日米が共同で追求している新たな「対中封じ込め」政策――オバマ政権による「アジアへの旋回」戦略の一環として、新しいレベルの弾道ミサイル防衛を日本に構築する決定を最近あきらかにした――を非難していた。

さて、この九月一八日というのは特別な意味があったのだろうか。この日こそ、中国がひときわ声高に指摘するように、一九三一年の満州事変〔の発端となった柳条湖事件〕から八一年目にあたる日であった。満州事変とは、日本軍部が中国東北部の三省〔黒竜江省、吉林省、遼寧省〕を支配し、彼らが新たに満州国と名づける疑似植民地とするための口実として仕組まれた出来事である。

尖閣諸島をめぐる論争も、対中封じ込めに対する非難も、また大日本帝国の軍国主義を思いださせる苦々しい「歴史問題」さえ、これらはみな冷戦時代の初期に有害な根がある。今日争われているその他の論争も含め、それらの問題の根は、一九四五年八月から五二年四月の終わりまで六年あまりに及んだ米軍による占領のあと、日本を第二次大戦後の国際社会に主権国として復帰させたサンフランシスコ体制にさかのぼる。

＊　＊　＊

九月に生まれた緊張状態は、その後の数週間、そして数カ月のあいだ高まりを見せ、この緊張が生みだした危険な状況は時に大惨事の到来を予感させた。専門家たちは「一触即発」の状態――この場合は尖閣あるいは釣魚島紛争――で、「偶発戦争」に発展しかねないと言ったが、戦争になれば中国と戦う日本を米軍が支援することもありうるのだった。この事態は、サンフランシスコ体制の核心にある、日本との安全保障条約による米国の義務に合致するものと考えられている。

この最悪のシナリオが二〇一二年に真剣に考えられたことは驚きであったが、それはまた想定できたことでもあった。このシナリオが、一九七二年に日米両国がそれまでの対中冷戦政策を規定してきた「封じ込め」政策を劇的に放棄して、中華人民共和国（中国）

との関係を遅まきながら正常化してから四〇年もたって起きているということは、驚くべきことだ。四〇年あまりにわたって、この三国の経済は相互に依存する関係となり、永続的な平和の基礎を創りだしているかに見えていたからだ。

他方、この危機が想定の範囲内であったのは、経済大国としての中国の登場が軍事力の近代化に裏打ちされた強烈な民族的自尊心と一体だったからである。この危機は予見できたかも知れない。しかし、それでも危機は、圧倒的な軍事力を背景とした「パックス・アメリカーナ」(アメリカによる平和)を当然視してきた人々に衝撃をあたえた。

サンフランシスコ体制と、この軍事力を背景とした「パックス・アメリカーナ」とは、しっかり結びついて存在してきた。サンフランシスコ体制と「パックス・アメリカーナ」は、一九五〇年代以来、アジア太平洋地域における戦略上の現状維持を規定してきた。両者は、第二次大戦後の日本という国家を、計り知れないやり方で形づくって(また歪めて)きた。その役割には、平和の維持とともに戦争を引き起こすことも含まれていたのである。

二〇一二年に起きた様々な出来事からきわめて明確になったように、今やサンフランシスコ体制とそれを支えている構造は岐路に立たされている。

1　サンフランシスコ体制の歪な起源

サンフランシスコ体制という名は、一九五一年九月八日に米国サンフランシスコ市で署名された二つの条約に由来する。その二つの条約によって日本が独立を回復する条件がうち建てられた。二つの条約のうちの一つは、第二次大戦中に日本と交戦関係にあった四八の「連合国」が署名した多国間の対日講和条約である。もう一つは、日本と米国との二国間安全保障条約で、この条約によって日本は米国に対して「日本国内及びその附近に……その軍隊を維持する」権利をあたえ、そして、米国は日本の再軍備を支持し助長したのだった。

両条約は一九五二年四月二八日に発効した。その日、占領が終わり、日本は主権を回復した。

これらの取り決めが持つ二つの側面に留意すべきである。第一に、その時機である。両条約が署名された時、日本はいまだ占領されており、米軍の管理下にあった。そして冷戦は高まりを見せていた。一九四九年八月二九日、ソ連は初の核実験を行い、核軍拡競争の引き金をひいた。同年一〇月一日、中国共産党は中華人民共和国の成立を宣言し、さらに一九五〇年二月一四日、中ソ友好同盟相互援助条約が結ばれた。同年六月二五日、分断されていた朝鮮半島で戦争が勃発し、ただちに米軍を主力とする国連軍が投入された。四カ月後の一〇月下旬になると、中国の指導者たちは、米国が中朝の国境付近まで――おそらくはほぼ国境を越える地点まで――進撃するのではないかと恐れて戦争に参加した。朝鮮戦争は一九五三年七月まで膠着《こうちゃく》したが、一九五一年九月の対日講和条約と日米安保条約は朝鮮戦争の膠着状態が長引くあいだに署名されたのだった。*1

前記と同様に重要なのだが、多くの人が忘却していることに、サンフランシスコ講和が「片面講和」だったいきさつがある。講和条約署名国の一覧から、署名していてしかるべき国々の名前が欠落している点は注目されなければならない。中国は真珠湾を契機に米国が対日参戦する一〇年以上も前から日本による侵略と占領の矢面に立たされたにもかかわらず、共産中国も台湾へ逃れた国民党政府も講和会議に招請《しょうせい》されなかった。南北朝鮮も、一九一〇年から四五年までのあいだ日本の植民地支配のもとで苛酷な扱いをうけ、大戦中は抑圧的な徴用を強制されたけれども、講和会議から排除された。ソ連は会議には参加したが、中華人民共和国が排除されていること、日本をその冷戦政策へ軍事的に統合しようという米国の計画があからさまなことなどを理由に講和条約に署名しなかった。

片面講和という視点で見ると、サンフランシスコ講和は、日本をもっとも身近な近隣諸国から引き離す排除のシステムを作りあげる土台を築いたことになる。講和会議から数カ月のうちに米国は、講和条約と並行して台湾の国民党政府とのあいだでも条約を署名しなければ米国議会〔上院〕は講和条約を批准《ひじゅん》しないだろうと、狼狽《ろうばい》して気の進まない日本政府に告げ、この分断政策を強化した。こうして日本は、事実上、国民党政府を中国の正統政府と認めることとなったのである。そうしなければ、米国による日本占領は無期限に続いたことであろう。日本は、かの有名な「吉田書簡」(一九五一年一二月二四日付で、日本の吉田茂首相から米国の対日講和問題特使ジョン・フォスター・ダレスに宛てられている)で米国の最後通牒《つうちょう》に黙って従った。吉田書簡に続けて、台湾に置かれた「中華民国」と日本との講和条約が一九五二年四月二八日に署名された——そうして同日、サンフランシスコで署名された対日講和条約と日米安保条約が発効したのであった。

ソ連と日本は一九五六年一〇月一九日の共同宣言で外交関係を樹立したものの、両国は正式な平和条約を結んでおらず、日本と千島列島とのあいだにあり論争となっている島々の支配に関する領土問題は未解決のままだ。日本と韓国は一九六五年六月二二日(の日韓基本条約締結)まで関係正常化を行っていなかった。日本と中華人民共和国との外交関係は一九七二年(九月二九日の共同声明)まで回復されず、両国が平和友好条約を締結したのはようやく一九七八年（八月一二日）になってのことだった。

この、一方で中国と、また、他方で朝鮮半島と日本が引き離されるという、占領終了後に生じたとても有害な結果の影響は計り知れない。日本は、第二次大戦後のヨーロッパにおける西ドイツとは異なり、アジアのもっとも身近な近隣諸国と和解し再び一緒になることを効果的に封じられてきた。講和は先送りされたのだった。帝国主義、侵略、搾取、それらの傷と苦々しい遺産は化膿し疼《うず》くままにしておかれた——もっとも、日本ではあまり語られず、たいていは認識もされなかったが。そして、表向きは独立した日本は、安全保障のためどころか、まさに国家としてのアイデンティティのために、太平洋の東にある米国向きの姿勢をとるよう追いたてられたのだった。

2　問題を孕む八つの遺産

一九五一年に日本がサンフランシスコ体制を受諾するさいの交渉者であった保守的な吉田政権は、基本的にはシンプルな一つの選択肢を突きつけられた。多国間講和条約は日本の再軍備、日本における米軍基地の存置、講和会議からの中華人民共和国の排除と一体でなければならないというワシントンの要求に同意する見返りに、独立と米軍による保護が確実になるという選択であった。権力政治がものを言う現実世界において、日本国内の自由主義的ないし左翼主義的な批評家たちが吉田に突きつけた代替案——すなわち、冷戦状況のなかでの日本の非武装中立と中ソを排除しない「全面」講和条約をもとめる主張——は、主権回復を先延ばしにし、引き続き米軍による占領を甘受することを意味した。

吉田の頑強なまでに親米的で反共的な態度を支持する日本人でさえ、ワシントンの要求に同意することで払うことになる代償に懸念を示した。中華人民共和国に対する不承認と孤立化に黙って従わせられることとは、とりわけ実業界では不評であった。占領終了後も日本中に存置される米軍基地の将来的な規模と配備が不確実なのも心配の種であった。そして、日本は早急に再軍備すべきだというワシントンの要求も先見性がなく、乱暴だった。吉田と他の人々は、性急な再軍事化が日本国内ばかりでなく前に日本の侵略の犠牲となった諸外国のあいだにも大きな反対を惹き起こすだろうと述べた。[*2]

こうした留保にもかかわらず、日本政府と国民のほとんどは一九五一年の両条約とそれにつづく主権の回復を歓迎した。そして、この冷戦期に断行された講和は、日本および米国社会の主流にはいまだにおおむね歓迎されている。その理由を見つけるのは、それほど難しいことではない。講和条約それ自体は日本にとって非懲罰的で寛大であった。そして、日米の軍事関係は今日にいたるまでの日本の戦略および外交政策の基礎となったからだ。日本は、サンフランシスコ体制の下で、民主的で、繁栄した、平和的な国として自立した。

しかし、サンフランシスコ体制を紛れもない恩恵として見るのではなく、数多くの特殊な方法で「拘束衣」——日本を時の流れとともに次第に問題点が大きくなっていく政策と態度に閉じ込めてきた体制——の役割をもはたしてきたと認識する必要がある。「恩恵」と「拘束衣」がお互いに排除しあうとは限らない。両者は共存し、サンフランシスコ体制がその端緒より内に秘めていた厄介な矛盾へと人々の注意を向けさせる。

とりわけ注目に値する、問題を孕《はら》んだ八つの遺産とは、(一)沖縄と「二つの日本」、(二)未解決の領土問題、(三)米軍基地、(四)再軍備、(五)「歴史問題」、(六)「核の傘」、(七)中国と日本の脱亜、(八)「従属的独立」である。

一　沖縄と「二つの日本」

第二次世界大戦と初期冷戦が生みだした悲劇的な遺産の一つが分断国家——すなわち、朝鮮半島、ベトナム、ドイツ、中国——の出現であった。サンフランシスコ体制は琉球弧の南半分である沖縄県を日本から切り離し、米国の軍事拠点に変えるという非情なやり方で、日本をも分断国家にしたのである。

この分断は他の分断国家と同じような規模の悲劇ではなかった。そのうえ、この分断は東京がワシントンと緊密に、そして「熱心」に行った共謀による領土分割であった。米国側から見れば、沖縄は戦争が終わった瞬間から米軍にとってアジアにおける不可欠の「軍事拠点」となった――この政策は、ソ連の原爆保有、中国における共産勢力の勝利、朝鮮戦争の勃発、これらすべてによって想定しうる挑戦の範囲を越えた強固なものになっていった。日本の政策立案者にとって、沖縄とその住民は捨て石にしてもよい取引のカードにすぎなかった。東京の政策立案者たちは、サンフランシスコ講和会議のずっと前から、いわゆる本土の主権回復を早めるのであれば、沖縄を犠牲にしてもかまわないという提案をまとめ始めていたのである。[*3]

サンフランシスコ講和は、「寛大な」講和から沖縄を排除するこのような政策を定式化したものだ。日本の「潜在主権」は認めたものの、沖縄は米国の施政下に置かれることになった。朝鮮戦争中、B29爆撃機(ほんの数年前まで日本の諸都市を空爆していた)は沖縄の嘉手納《かでな》基地から朝鮮半島へ任務遂行のため飛びたっていった。一九六五年から一九七二年にかけて、沖縄は北ベトナムに対する破壊的な空爆やカンボジア・ラオスへの秘密爆撃のために利用される主要な軍事拠点となった。一九七二年、二七年におよぶ直接支配のすえに、沖縄は日本へ復帰した。しかし、そのことで同県が担ってきたアジアにおける米国の前進基地の要としての役割が低減することはなかった。

この「二つの日本」政策（"Two-Japan" Policy）の衝撃は、程度こそ様々だが、現在にも影響をあたえている。もっとも顕著なのは、巨大な基地の周辺では避けがたく生じる基地被害であり、それには米軍犯罪、騒音、環境破壊などが含まれる。もう少し目につきにくいところでは——沖縄における核兵器や「エージェント・オレンジ」〔米軍がベトナム戦争などで使用した枯葉剤の一種〕のような化学兵器の貯蔵を含む秘密活動、密約の発覚に見られるような——日米両政府によって制度化された、不透明で二枚舌を弄《ろう》した偽善的な基地運営がある[*4]。

そのなかでもおそらくもっともたちが悪いのは、その国土の特定の領域を外国による広範な軍事使用に供しておきながら、同時にその住民を二等の市民であるかのように扱ってきた、日本政府の恥ずべき行いの数々である。

二　未解決の領土問題

今日、アジア太平洋地域の関係を阻害している五つの領土紛争は、サンフランシスコ講和条約で未決のまま残された領土問題にさかのぼる。これが曖昧なままとなっているのは単なる不注意や見落としの問題ではない。むしろ反対に、その多くはアジアにおける共産主義の影響力を阻止するというワシントンの包括的な戦略に合致するよう、講和条約の最終草案に米国が慎重に滑り込ませたものであった。[*5]

それらの領土紛争のほとんどが、片面講和にも参加しなかった国々――すなわち、ソ連（現ロシア）、韓国、中国――とのあいだで起きているといっても驚くにはあたらない。日本は領土紛争のうち三つの直接当事国である。これらの紛争はみな、サンフランシスコ講和会議後の数十年間に非常に物議をかもす争点となっていった。衝突しあうこれらの領土主張の基底にはもちろん国家の自尊心や戦略的考慮がある。しかしなかには、海底油田や天然ガス埋蔵などの海洋資源の発見という事情も反映して、近年緊張の高まりを見せている事例もある。

ロシアとの領土紛争とは、日本が「北方領土」と呼び、ロシアが「南千島」と呼ぶところのもの――それらは四島、または北海道北部の群島の帰属が問題の焦点となっている――を意味している。この問題は、当該諸島を千島列島の一部と見なすか、北海道の一部と見なすかに相当程度かかってくる。そしてアメリカ人から見ると、一九四五年から四七年のあいだにソ連がにわかに同盟国から敵国へと変貌したことで事情がややこしくなった。一九四五年二月に開かれた「三大国」によるヤルタ秘密会談で、アメリカとイギリスは、日本降伏後に千島列島がソ連に「引き渡される」であろう（would be handed over）ことに同意した。これは英米がソ連を説いて対日参戦させるために用いたアメの一つだった。そして戦争が終わった時、ソ連軍は現在争われている島々を含む千島を支配するにいたった。

米国は冷戦状況が固定されていくにつれてその立場を転換し、サンフランシスコ講和会議までには、紛争の種となっている島々を、ソ連の軍事占領下に置かれている日本領土と見なすことが不可欠となった。一九五一年の対日講和条約は、日本が「千島列島……に対するすべての権利、権原及び請求権」を放棄すると規定したが、同規定は千島をソ連に譲渡することを規定したわけでもないし、係争中の島々の名称に言及しているわけでもない。

領土紛争と「二つの日本」政策――これによって米国は沖縄を日本から切り離した――

の冷戦期特有の結びつきを象徴するような問題が、サンフランシスコ講和会議から五年後にあらわれた。日米両国の政策立案者は、講和条約案を最終確定するに先だって、四島のうち南の二島（色丹島と歯舞群島）は千島の一部ではないが、他の二島（択捉島と国後島）は、そのようなもの〔千島の一部〕と見なすのが妥当かもしれない、という議論を真剣に検討した。一九五六年、平和条約を交渉するためにソ連の高官と日本の高官が会談したさい、前者から「二島返還」で領土紛争を解決させる妥協案が示され、当初は日本の重光葵《まもる》外相もこれを支持した。この政治取引は、ダレス米国務長官が重光外相に次のように告げた時に覆されることになったのである。日本が千島に対する主権をソ連に譲り渡すのなら、米国は「同じように、琉球諸島に対する完全な主権が〔米国に〕あたえられるものと見なし」ますよ、と。一九五六年の日ソ交渉によってモスクワと東京のあいだの外交関係は再開されることになったが、正式な平和条約の締結阻止に一役買ったのは米国の恫喝《どうかつ》だった。*6

　韓国との領土紛争の核心は、英語でリアンクール岩礁《がんしょう》、日本語で竹島、韓国語で独島と呼ばれる日本海上の小さな島にある。初期の五つの対日講和条約米国案は、竹島（独島）をはっきり韓国の一部と認めていたが、一九四九年一二月――中華人民共和国成立直後だが、朝鮮戦争以前――に米国の講和条約案は路線を変更し、竹島（独島）が日本に属するとした。講和条約案づくりの過程で骨を折った英国と英連邦諸国は竹島（独島）を韓国領内に置き続けたが、一九五〇年八月以降の講和条約米国案が竹島（独島）に特に言及しなくなったことは、米英のあいだで妥協が成立したことを意味した。最終的に署名された講和条約は、曖昧に朝鮮の独立に言及してはいるものの、日本領域の境界や譲渡すべき沿岸島嶼の規定はない。実際、一九五一年八月（サンフランシスコ講和会議の一月前）、米国は竹島（独島）を日本のものと見なすと韓国政府に通告していた。[*7]

一九五二年一月一八日――対日講和条約が発効する三カ月あまり前――韓国の李承晩大統領は、同国の海域の国境線を定める宣言を発した。李大統領は、この竹島（独島）を包摂する「李承晩ライン」の目的が韓国の海洋資源保護にあると（この場合は主に漁業資源に言及しながら）述べた。一九五二年五月二三日――日本の主権回復からおよそ一カ月後――日本の外務官僚が国会の委員会において、外務省は米軍が当該島嶼を爆撃演習に使用することを認めていると述べた。この発言は、日本が当該島嶼での米軍演習を認めることで同島嶼に対する日本の主権を確認することになると想定してのことであった。早くも一九四八年には、沖縄から飛び立ったB29の軍事演習では実際に竹島（独島）が標的にされていたのだが、現実問題として、韓国は沿岸警備隊を使って当該区域に支配をおよぼすことで李承晩ラインの強化に成功した。韓国側が何百隻という日本漁船を拿捕《だほ》することを可能にしてきた李承晩ラインは、一九六五年の日韓関係修復の時に結ばれた付属漁業協定によって取り除かれることになったが、主権問題の解決にはいたらなかった。[*8]

中国と日本が当事者であり、二〇一二年に警戒を要する激しさで噴出した尖閣諸島（中国名は「釣魚島およびその附属島嶼」。以下、本論文では、「尖閣（釣魚）諸島」などと記す）紛争は、東シナ海上の沖縄と台湾のあいだに位置し、しばしばメディアからは一からげに「無人の岩礁」と称される、小さな島嶼と岩礁に関わるものである。この領土紛争は、サンフランシスコ講和の遺産である「二つの日本」ばかりでなく、一九世紀の終わりにまでさかのぼる「歴史問題」とも複雑に絡む。日本がそれらの島々に正式な領有権を主張したのは、日清戦争で圧倒的な勝利を収めた後の一八九五年のことである。

台湾は敗者となった中国から獲得した重要な戦利品であった。同じ年、日本は台湾の近くにある尖閣（釣魚）諸島を取得したが、同諸島を戦利品の一部として取得したのではない。むしろ日本は、これら無人の岩礁は「無主地」であると宣言し編入したにすぎなかった。それ以後、尖閣（釣魚）諸島は沖縄県の一部として扱われたが、その関係で第二次大戦後は米国の支配下に移された。米国は尖閣（釣魚）諸島を時々射爆撃場として使用した。一九七二年に米国が沖縄の施政権を日本に返還するさい、尖閣（釣魚）諸島も――中華人民共和国および台湾の中華民国の政府からの抗議はあったが――沖縄に含まれることになったのである。
一九五一年当時、中国は尖閣（釣魚）諸島の処遇について公に抗議しなかったが、二〇一二年一二月になって、中華人民共和国が講和に参加することができていたならば、大きな困難なしに領土問題は上手く解決されていたかもしれないことを示唆する中国側の文書が公になった。一九五〇年五月一五日の日付――朝鮮戦争以前で、このころ中国はいまだに講和会議に招請されるものと考えられていた――のある、この一〇頁のメモ（「対日和約における領土部分の問題と主張に関する要綱草案」）は、当該の島々に対して中国語の名称よりも日本語を用いて、それらの島々の主権に関する曖昧さを示していた。メモのある箇所では当該の島々が琉球諸島の一部であるとの認識をはっきりと示していたが、他の箇所では島々が台湾の付属島であるかどうかはさらに検討が必要である旨が記されていた。[*9]
理屈のうえでは、一九五二年に発効した対日講和条約によって、日本が一八九五年から第二次大戦終結までのあいだに手に入れたすべての領域が、もともとそれらの属していた国々に返されることになった。一九五〇年のメモが示すように、争点は尖閣（釣魚）諸島を沖縄の一部と見なすのが妥当なのか、台湾の一部と見なすのが妥当なのか、ということであった――そして一九七〇年代、日中が正式な関係を樹立した時、この問題はあまりにも複雑でその時代に解決するのは困難だという暗黙の認識があった。一九七二年に行われた国交正常化のための予備会談で、周恩来は日本の政治家〔竹入義勝・公明党委員長〕に、「尖閣列島の問題にふれる必要はありません。国交正常化にくらべたら重く見るべき類の問題ではありません」と述べた。六年後、正式な平和条約〔日中平和友好条約〕に署名したさい、両国は問題の討議を先送りする口頭了解にいたっている。中国側の記録では、中国の最高指導者であった鄧小平が日本の首相に対して述べた、釣魚島（尖閣諸島）と大陸棚を含む問題は「後に落ち着いて議論できるまで棚上げできるし、われわれは双方が受諾可能な方法にゆっくりと達することができる。われわれの世代でその方法を見つけられなければ、次の世代、あるいは、さらに次の世代が方法を見つけるだろう」という発言が引かれている。鄧小平は、非常な成功裡に行われた一九七八年一〇月の親善訪日――中国の指導者がこのような訪日を行ったのは初めてであった――でも、大勢の記者を集め東京で開かれた会見の席上、記者の質問に答えて同様の発言を行っている。二〇一二年に起きた暴力的な衝突は、このような楽観主義が見当違いだったということを明確にしたのである。*10

「島」をめぐる四番目の紛争は、これがすべてのなかでもっとも大きな問題なのだが、サンフランシスコ講和会議以前に生じ、しかし、片面講和のまさに本質をなすものとして、欠くことのできないことであった――すなわち、台湾と中華人民共和国の分断である。主権にかかわる事柄に土足で踏み込むような冷戦期のこの侵犯行為は、正確に朝鮮戦争勃発の二日後である一九五〇年六月二七日にさかのぼることができる。この時アメリカは第七艦隊を台湾海峡へ急派し、中国の共産主義者たちが勝利を確固たるものにするのを阻止しようとした。米国が日本を強いて一九五二年四月二八日に台湾政府と締結させた二国間の「日華平和条約」が、この介入をさらに補強した。中華人民共和国から見れば、この介入は最終的に中国領土を恒久的に分断するものと映った。すなわち、一八九五年にまず日本が戦利品の一部として台湾を奪取し、今また日本とアメリカが結託して台湾が中国に戻るのを妨害していると映ったのである。

日本もアメリカも一九七二年に中華人民共和国と関係を樹立した時には、北京の政府が「一つの中国」の唯一の政府と認識していたけれども、そのことでサンフランシスコ体制下における日米の軍事計画の前提が大きく変わることはなかった。今日にいたるまで、ペンタゴンの軍事計画は一貫して中台紛争の脅威を強調してきた——それに対応して、中国の軍事力の急速な近代化は、紛争が生じた場合の米国による介入を抑止することに力点を置いて行われてきた。

一九五一年のサンフランシスコ講和会議で未解決のまま残された領土紛争の五つ目は、南シナ海上の、人もまばらなスプラトリー諸島（南沙諸島）およびパラセル諸島（西沙諸島）（ならびにスカボロー礁〔黄岩島〕）に関わるものであり、それらの島は一九六〇年代に石油と天然ガスが豊富であることが明らかになった区域に位置している。この地域では、一九四〇年代後半に中国——はじめは国民党政府、次いで共産中国——によって、海洋地図上に広大な「南海九段線」が形づくられているという立場からの領土主権が主張された。この領土主権の主張に対しては、フィリピン、ベトナム、マレーシア、ブルネイが異議を申し立てている。

サンフランシスコで署名された講和条約では、「北方領土」、竹島（独島）、尖閣（釣魚）諸島が日本によって放棄される領土に含まれるかどうかが慎重に不明確なままにされたのに対し、南シナ海の島々については事情が違った。いまだベトナムにおいて植民地宗主国としての地位を保っていたフランスの要請により、同条約には「日本国は、新南群島及び西沙群島に対するすべての権利、権原及び請求権を放棄する」という条項が盛り込まれたのである。中国の主張は無視されたものの、対日講和条約はそれらの帰属先を特定しなかった。サンフランシスコ講和会議から生じた領土紛争の歴史に詳しい研究者によれば、この曖昧さは、アジアにおいて「共産主義を封じ込めるうえで都合よく働く」ことが期待できるような、将来起こりうる紛争の種をあらかじめ播《ま》いておくことによって、中国に対してもう一つの潜在的な「楔《くさび》」を打ち込むことになったのだという。[*11]

三　米軍基地

米国が日本に軍事基地の広範なネットワークを維持することを正当化する当初の公然の理由は——世界の他所についても同様だが——モスクワの指示を受けた共産主義者の侵略と認められる脅威に対する防衛であった。一九九一年のソ連崩壊後、アメリカは海外基地のおよそ六〇%を引き払った。しかし二〇〇一年のアフガニスタン、そして二〇〇三年のイラク侵攻後、アメリカは中東に、二〇一〇年代の撤退に備えてその大半を撤去するまでに、何百という新たな軍事施設を建設した。世界に広がる米国の「基地帝国」は今日かつてないほど広範になっている。米国の軍事要員は海外およそ一五〇カ所に駐留し、海外で米国の軍事施設が存在する地点の総計は一〇〇〇カ所を超える——広大なものも小規模なものもあるが、秘密施設や隠密活動にあたる施設の数が増えつつある——というのが妥当なところだろう。[*12]

日本にある米軍基地も広い文脈で見なければならない。在日米軍基地は、日本占領とその後に生じた冷戦に起源を持ち、その過程で現在までつづく軍事的プレゼンスが一九五二年の日米安全保障条約と関連の二国間協定によって形成された。同時に、在日米軍基地が冷戦後の新たな趨勢のなかで担っているのは、アメリカ軍事帝国の一つの小さな役割にすぎない。最近のシナリオでは、中国が軍事計画の主要な敵の一つになっている。

日本に軍事的プレゼンスを維持することは、米国の政策立案者から見れば、その始まりから三つの目的を帯びていた。第一の、そしてもっとも重要な点だが、日本における軍事的プレゼンスがアジア大陸およびロシアに近接した沿岸地域に軍事拠点を提供するということである。第二に、今日では忘れられがちだが、こうしたプレゼンスは、万が一日本が再び自立的に軍国主義的な道に進もうとした場合に備えて、同国に対する管理を確実にすることである。(この議論は、アメリカ人や他の外国人の多くが日本を全面的には信用していなかった一九五〇年代にしばしば聞かれ、米国が中国との関係を正常化した一九七〇年代に再び説かれるようになった。)三つ目の、そして軍事基地を支持する人たちのあいだでもっとも受け入れられていることだが、日本国内およびその付近における米軍駐留は――一九五一年の安保条約第一条に規定してあるところでいえば――「極東における国際の平和と安全の維持に寄与し、並びに、……外部からの武力攻撃に対する日本国の安全に寄与する」という目的がある。

二〇一一年の「3・11」大震災によって東北地方は地震と津波に襲われ、さらに東京電力福島第一原子力発電所のメルトダウン事故が追い打ちをかけた時、在日米軍は緊急時の支援と人道救援を行うことで新たな、そして高く称賛される役割を担うことになった。「トモダチ作戦」と命名された作戦行動は、日本全土にある基地からの出動をともなうものであった。

基地使用の実際において、もっとも注目されるのは、日本の域外へ米軍が行う戦闘作戦行動に対する支持である。在日米軍基地は、朝鮮半島に対する空軍戦の主要な軍事拠点であったが、そうした作戦で米軍機は、一九四五年に日本を打ちのめした空襲よりも多量の爆弾を投下した。(カーティス・ルメイ将軍は朝鮮半島へ赴くまえ、日本への焼夷弾爆撃を指揮した人物であったが、のちに「われわれは、北朝鮮と韓国双方のほとんどすべての都市を焼き尽くし、……一〇〇万人以上の朝鮮人の命を奪い、何百万という朝鮮人を家から追いだし、結果として新たな悲劇の歴史に一頁を付け加えざるをえなかった」と述べている。)一九六五年から一九七二年まで、このような日本域外への激しい戦闘行動に在日米軍基地が使用されるということが、ベトナム、カンボジア、ラオスに対して繰り返された。それらの地域で米軍は七〇〇万トン以上の爆弾を投下したのであり、その量は、第二次大戦において米英軍が合同したヨーロッパおよびアジア戦域で両軍が投下した爆弾総トン数の優に二倍を超えた。日本にある基地、とりわけ沖縄にある基地は、爆撃それ自体を任務とした出撃に使用されることはなかったものの、イラクおよびアフガニスタンでの米国の戦争を支持する目的でも使用されている。*13

アジアと太平洋における平和の維持を、多国間安全保障協定によって保全する努力が不可欠であることは明らかだ。しかし、「パックス・アメリカーナ」の下での歴史的な経験は、多国間協定による平和の維持が実際の運用においてどれほど破壊的なものになる可能性があるかを示している。日本の仮想敵——冷戦期はソ連および中国、現在は中国および北朝鮮——が日本に対して、旧安保条約のなかに含まれた「言い回し」が含意するような、いわれのない武力攻撃によって深刻な脅威をあたえたことはこれまでなかったと言えそうだ。だが他方で、米軍基地が引き続き存在することで、疑いなく将来の日本から（過去における と同様に）、たとえそれが賢明でもなく無謀でさえあることがわかっていても、米国の世界的な軍事政策やその実践に加わる以外の選択肢が失われることも明らかである。

四　再軍備

一九五一年に日米安保条約が署名されたさい、日本の再軍備へのコミットメントは明らかに憲法違反だという意識が日米双方にあった。一九四六年、新しい「平和憲法」が帝国議会で議論されている時、吉田茂首相は第九条と「不戦」規定に関する質問に答えて、一切の軍備と国の交戦権を認めない結果、自衛権の発動としての戦争も放棄したものである、と答弁した。遅くとも一九五一年一月まで、吉田はいぜんとして「武力なき自衛権」について語っていた――吉田は古来の侍《さむらい》の活き活きとしたイメージをも用いて「両刀とも使わざる自衛権」の意味を説明しようとした。

米国は朝鮮戦争が勃発する前から日本の再軍備に着手するよう吉田に圧力をかけ始めていた。一九五〇年六月に朝鮮戦争が始まると、再軍備は実際に開始された。米国は日本の地上部隊を朝鮮半島に投入することを想定し、極端に性急な再軍事化へ向けて圧力をかけた。対照的に、吉田の方針はゆっくりと再軍備することだった。日本再軍備を支持する二国間安全保障条約が署名された時、この再軍備の言質は法的な根拠が薄弱で、近い将来に改憲が必要になろうという了解が日米双方にあった。[*14]

ワシントンと東京の保守政府は、日本がひとたび独立を回復すれば、第九条に具現化されている反軍国主義の理想に寄せる民衆の支持によって改定が阻止されるなどとは予想しなかったし、そうした状況がその後何十年とつづくことも予想しなかった。結果的にその後六〇年にわたって憲法をめぐる議論が日本の政治を動かした。改憲にいたらなかったことで、継続的になされる任務の見直しに伴って行われる政府による「解釈改憲」や、技術的に進歩した軍隊の創出を阻止できたわけではない。だが同時に、憲法は「自衛隊」が持つことのできる兵器および参加することのできる任務（たとえば、海外での紛争における米国ならびに国連への支援活動）の双方を制限するうえで十分な影響力を保ちつづけた。

憲法の危機については、法律上の問題点が多い日本再軍備が生みだしたもののなかで最も広く議論されてきた。しかし、サンフランシスコ体制という見地からすれば、憲法の危機だけが問題を孕んだ遺産というわけではない。再軍備にはさらに二つの関連する問題がある。第一に、再軍備は在日米軍基地と同様に、米国の戦術計画および戦略政策に日本をがんじがらめにする。第二に、日本再軍備は、日本軍がさきの戦争で実際に行った——戦争で天皇の陸軍・海軍兵士はアジアを侵略した——行為そのものを軽視し、浄化し、否定することに手を貸すものだ。

再軍備に対する制限を取り除くために改憲を支持する人々は、改憲すれば日本は国連が後押しする平和維持活動に参加する「当たり前の国」になることができ、自国を防衛する自立的な能力を高めることができる、と論じる。だが実際のところ、日本は再軍備すればするほど、アメリカの戦闘活動に実質的な貢献をしなければならなくなるという、逆らい難い圧力の下に置かれることになるのだ。

五　「歴史問題」

日本の敗北からサンフランシスコ体制の起動までいかにわずかな時間しか経過していないかを思うとき、日本の再軍備と歴史浄化との関係性が明確になる。米国にとって昨日まで軍国主義的な敵国であったものが、今日は平和愛好的な同盟者として復興しつつあったのだ——同時に他方で、第二次大戦期の同盟国であった中国は、世界の平和を脅かす「赤い脅威」の側につく悪魔のように考えられた。再軍備を進めることは、いやおうなしに日本の犯罪行為と中国の被害者性を——日本国内ばかりでなく、米国内で、そして国際的に——軽視させることになった。

このような帝国日本の所業を浄化する行為はサンフランシスコ講和会議以前から始まっていた。たとえば、一九四六年半ばから四八年末まで東京で開かれた米国主導の戦争犯罪人裁判（極東国際軍事裁判、いわゆる東京裁判）は、何十年もたってから明らかになれば日中および日韓関係に悪影響をおよぼすであろう残虐行為の事実を隠蔽した。そうした犯罪例の一つが、ハルビンに置かれていた帝国陸軍「731部隊」による残忍な人体実験である。そしてもう一つの犯罪が女性の拉致行為で、その大半は「慰安婦」として日本軍への性的奉仕を強制された韓国人女性であった。そのうえ、東京で開かれていた「A級」戦犯被告の裁判が一九四八年一一月に終了すると、さらなる戦争犯罪調査や高位の戦争犯罪被疑者の訴追は沙汰やみとなってしまった。理想的な世界であれば、一九五一年の講和会議は歴史を率直に総括し、戦争責任の問題と取り組む機会になったかもしれなかった。しかしそうはならずに、サンフランシスコ講和は、中国と韓国という、もっとも謝罪と償いを受けるべき国々を排除したばかりでなく、無理やり歴史を前へ進め、忘却を促した。ワシントンの高官たちがお気に入りの形容詞を用いて言えば、サンフランシスコ講和条約は「寛大な」講和のはずだった。イギリスやカナダのような締約国が講和条約に「何らかの戦争犯罪条項」を盛り込むべきだと勧告した時、米国はその考えに反対した。[*15]

片面講和は、全面的な和解を排除することを是認してしまっただけでなく、帝国主義と戦争が刻んだもっとも深い傷と取り組むことなくそれを放置した。日本においてサンフランシスコ講和は、軍国主義的活動の理由で占領中に追放され、なかには戦争犯罪で逮捕さえされた政治家や官僚の復活に途をひらいた。一九五七年時点でも、日本の首相は岸信介というかつての戦犯容疑者(もっとも、訴追はされなかったが)であった。その岸の首相在任時に安保条約改定が政治日程にのぼり、国民からの大規模な抗議を受けながら、条約は国会で可決され、一九六〇年に改定を見るのであった。(そして二〇一二年一二月、尖閣〔釣魚〕諸島危機が高まりを見せるただなかに、岸の孫で右派として知られる安倍晋三が二度目の首相の座に就くと、彼はすぐさま愛国心を盛りあげ、祖父の世代に着せられた戦犯容疑にあらためて挑戦することを宣言した。）

日本が中国および韓国と正式な国交関係を樹立するまで多年を要したことと、おしなべて後悔していない守旧派が権力の座に返り咲いたことが重なって、厄介な歴史問題は間違いなく後々の世代に引き継がれた。それでも、一九七二年の日中国交正常化のさいにまとめられた共同声明は、「日本側は、過去において日本国が戦争を通じて中国国民に重大な損害を与えたことについての責任を痛感し、深く反省する」と述べている。その二六年後の一九九八年に作られた日中友好協力宣言も同様に、「過去を直視し歴史を正しく認識すること」の重要性を強調する一節を含み、その宣言のなかで初めて日本政府は、「過去の一時期」の日本の行動の性格を「侵略」と認めたのであった。*16

今日の、一方で日韓関係を、他方で日中関係を悪化させている「歴史問題」が特異な点は、遅ればせながら外交関係が樹立された直後から、近い過去の使用と悪用が途方もなく物議を醸《かも》すものとなったことにある。和解と建設的な関係の開拓は、日・中・韓すべての側の耳障りなナショナリズムを解体することによってではなく、むしろ、その強化と連動しながら進んできた。一九七〇年代以降、多くの日本の政府高官が中国および韓国に何度も謝罪を行った。だが、その悔恨の表現は、著名な政治家たちや影響力ある個人や組織が、帝国日本の対外侵略と抑圧を糊塗《こと》したり公然と否定したりするという行為によって、ほとんど定期的に足を引っ張られてきた。

歴史問題をめぐる日中の衝突は、足並みが揃わないことが多いが、並行して高まっていった。たとえば、一九七八年の日中平和友好条約締結と同時に、日本のA級戦犯一四名が靖国神社に祀《まつ》られた。同神社は、天皇のために戦った人々の魂を讃《たた》え、それらの人々は「昭和殉難者」として祀られている。政治家による靖国神社参拝が内外で激しい論争を呼んだのは、一九八五年に終戦四〇年を記念して中曽根康弘首相とその内閣の閣僚が公人の資格で同神社を参拝した時だった——それは、中国の南京で南京大虐殺記念館が開館したのとたまたま同じ年であった。歳月を経るにつれ、戦中に日本が行った侵略や残虐行為に対する中国側の執着は急速に、博物館からマス・メディアや街頭抗議にいたる、あらゆるレベルでの表現となっていった。他方、日本では戦争犯罪を否定する保守派や右翼の声が急速に高まった。

一つ（しかし、一部にすぎないが）には、日本が中国および韓国と関係を正常化した後に、ある単純な理由で「歴史」がいっそう論争的なものになったことが挙げられる。すなわち、日中韓すべての側で歴史への関心が再燃したのである。日本の戦争犯罪や戦争責任

——南京大虐殺、731部隊による犯罪的（人体）実験、日本人以外の慰安婦に対する搾取、等々——に関する調査や研究が一九七〇年代以降に行われるようになった。こうした、多くは日本人研究者やジャーナリストによる実証的な研究作業は、挑発的な性格を内在させていた。日本国内では愛国主義的な反駁を惹起《じゃっき》し、また国外では激しい怒りを惹き起した。そのような研究は日・中・韓ですでに台頭しつつあった国家主義的感情をさらに燃えあがらせる火口となった——何より国内問題や世論に支配される政治指導者にとっては利用できる材料となった。

同時に、日本でも中国でも、急速な経済成長の拡大に乗じてナショナリズムも急速に拡大したのは、偶然の出来事ではない。日本の場合、七〇年代と八〇年代のいわゆる経済成長の奇跡にともなう自尊心と驕《おご》りは、「東京裁判史観」（日本の右翼が好んで用いる軽蔑的な表現である）の汚点を消すための愛国主義的運動にも波及した。中国では、一九七八年に鄧小平が始めた資本主義導入という方針転換によって、それまでのマルクス主義や毛沢東主義が退場を迫られ、思想の間隙が残されたところに、外国勢力による犠牲に焦点をあてた新しいナショナリズムが溢れかえるようになったが、日本はそうした外国勢力の最たるものであった。一九四九年に中華人民共和国が成立してから数十年間というもの、アメリカと日本が軍事的脅威である、というプロパガンダがさかんに喧伝《けんでん》されたが、それに比べて日本の歴史認識に対する不満についてはほとんど言われてこなかった。その不満が、一九七〇年代の和解がもたらした束の間の友好と親善の時代を急速に変化させる。[*17]

中国でも日本でも、歴史やナショナリズムがこのようなかたちで収斂《しゅうれん》していき、それが、「記憶」をプロパガンダに変え、「歴史論争」を終わりの見えない歴史戦争へと変えてしまった。中国からの批判とそれに対する日本の戦争犯罪の否定という争いは、多方面にわたり、かつ、ほとんど儀式のように繰り返されるありさまとなってしまった。日本において、過去を浄化しようとする行為は衰えつつある国家的自尊心を起きあがらせるために欠かすことのできない試みの一部となっている。中国において、歴史の操作はよりいっそう複雑な国内力学と絡みあっている。日本の戦争犯罪に対して繰り返し行われる攻撃と、戦後も真に改悛《かいしゅん》していないという申し立ては、国民の愛国心を煽る以上の働きをした。それらは、国内的な問題と不満から国民の注意をそらすことに役立った。同時に、日本による歴史浄化を非難することは、一九四九年以降、中国共産党自身によって中国国民に加えられた犯罪に関する、中華人民共和国自体が上意下達によって行った歴史浄化から注意をそらすことにもなっているのだ。[*18]

六　「核の傘」

日本は、サンフランシスコ体制に組み込まれることで、米国の「核の傘」の下にはいった。この「核の傘」という言葉はいかにも人をひきつける言い回しだ——字義どおりには、米国の掌中にある核兵器は純粋に防御的であることを意味する。対照的に——一九四九年における原爆実験成功以降——ソ連の核兵器保有は挑発的で脅威をあたえるものとして表現された。同様の認識は中国ならびに北朝鮮（各々、初の核実験は一九六四年ならびに二〇〇六年に行われた）による核保有へも援用されることになった。

この核の「傘」論の詭弁や矛盾を整理するのは難しい作業だ。米国は戦争で核兵器を使用した唯一の国であったし、現在もそうである。そして、広島・長崎のあとの日本は、核兵器に対する嫌悪を表明するうえでは、比類なき立場にあった。しかしながら、サンフランシスコ講和への過程で、目立った反核運動は日本に存在しなかった。一九四九年まで、米占領軍当局は原爆体験に関する文章や視覚表現に対しては、それらが反米主義や社会不安を惹起するのではないかとの懸念から、検閲を行った。その後、占領が終わるまで、この問題に対する社会の関心はごく限られたものだった。

驚くべきことに、この打ちひしがれた二つの都市を扱った重要な写真集が出版されたのは一九五二年八月六日付の写真誌においてであった——これは、広島への原爆投下から七年、また、講和条約の発効から三カ月以上を経た時期である。実質的に日本政府は、国民が自ら経験した核の恐怖と真剣に向きあう前に、「核の傘」の下へ身を寄せたも同然ということになる。[*19]

しかしながら、同時に、米国の政策立案者が朝鮮戦争において核兵器の使用を考慮していたことは、サンフランシスコ講和会議のずっと前から知られていた。中国が朝鮮戦争に介入した一九五〇年一一月二八日の二日後、トルーマン大統領は記者会見の席上、原爆使用という選択肢も排除しないと述べ、国際的に大きな波紋を起こした。ひき続く恐怖(と「第三次世界大戦」の予兆)は去らなかった。今日われわれは、早い時期から米国政府および同軍部の様々なレベルで核使用というシナリオが議論されていたことを知っている。たとえば、朝鮮戦争開始からちょうど一月後の一九五〇年七月二四日、マッカーサー元帥は中国の介入によって「比類なき原爆使用」が行われると予期した。五カ月後、トルーマンによる煽動的な記者会見から間もないころ、実際にマッカーサーは朝鮮半島で三四発の原爆を使用する計画案を統合参謀本部へ提出した。朝鮮戦争が頂点に達した一九五一年三月末までに、沖縄の嘉手納基地では原爆搭載機用ピットが作戦使用可能となり、あとは核コアを装填《そうてん》すればよいばかりの状態となっていた。翌月、米軍部は従来の政策からの重要な変更を行うが、そのなかで〔核コアも装填した〕完全な原爆は一時的にグアムへ移された。[20]

もっとも苛酷な不測の事態に備えるために、日本の基地も含めた軍事研究が一九五一年九月後半と一〇月はじめに行われているが、これはサンフランシスコ講和会議から数週間後のことである。「ハドソン湾作戦」と命名されたこの秘密作戦のなかには、嘉手納基地から作戦展開するB29爆撃機が朝鮮半島の標的に対して模擬核攻撃を行うという内容が含まれていた。この試験飛行は、実際には原爆を搭載してはいなかったものの、東京近郊にある横田基地の調整下に置かれていた。[21]

米国がアジアにおける当面の敵（中国および北朝鮮）に対して核兵器を使用する可能性は憂慮すべきことだったが、日本では主権回復からほぼ二年がたつまで、反核感情というものは広範な支持を得ていなかった。この核兵器に対する反対世論のきっかけとなったのがビキニ事件だった。同事件では、一九五四年三月一日に米国がマーシャル諸島ビキニ環礁で行った熱核兵器（水爆）実験から生じた飛散物質〔死の灰〕によって中部太平洋域の七〇〇〇平方マイル以上が放射能に汚染された。ビキニで行われた実験での〔水爆の〕破壊力は広島を焦土と化した原爆のざっと一〇〇〇倍であった。米国は否定したが、死の灰は広範囲に飛散した。そして、この爆発によって生じた灰が、「第五福竜丸」――同船舶は、実験に先だって米国が通告していた危険区域の外にいた——という日本のマグロ漁船の乗組員二三名に降りそそいだ時、核兵器は人間にとって間近な次元の問題となったのである。第五福竜丸の乗組員全員は帰港直後、放射能症の症状を発して病院に収容された。そして、事件から半年あまりたった一九五四年九月二三日、第五福竜丸の無線長・久保山愛吉氏が亡くなった。

ビキニ事件は第二次大戦後の日米関係を最大の危機に陥れた。乗組員たちの苦境に対する世間の関心に、太平洋で獲れた魚は汚染されているという恐怖があいまって、それらの関心や恐怖がこんどは米高官の木で鼻をくくったような欺瞞《ぎまん》的対応への激しい怒りとなって噴出した。一九五五年の半ばまでに、全国規模で行われた水爆禁止の署名運動は数千万筆におよぶ署名を集め、様々な草の根の反核団体は日本で初めての反核組織へと糾合《きゅうごう》されていった。[*22]

この反核運動の台頭と同時進行していたのが、アジア太平洋地域における米国の核配備の強化であった。一九五四年一二月、初めて米国は沖縄に「完全な核兵器」を導入し、同時に、日本国内の基地には「非核コンポーネント」(爆弾の外被部分または爆弾を迅速に核爆弾にすることができる組立部品)を導入することを許可した。その直後の数年間に、ワシントンの戦略立案者たちは、少なくとも三度、中国に対して核兵器を使用することを真剣に検討した。最初は一九五四年九月の第一次台湾海峡危機であり、二度目は一九五八年八月に生じた第二次台湾海峡危機、そして三度目は一九六二年一〇月のキューバ・ミサイル危機である。キューバ危機のさい、沖縄にあるメース核ミサイルは一五分で発射できる警戒態勢のもとに置かれていた。[*23]

一九五四年から沖縄の施政権が日本に返還される一九七二年まで、一九の型の核兵器が同島に貯蔵されてきたが、その大半は嘉手納基地に、おそらく合計一〇〇〇発近い核が常置されていた。それらの核兵器は、日本政府の要請により、沖縄返還時には撤去された。日本国内の基地に配備された、いつでも核兵器にできる「非核コンポーネント」は一九六五年に撤去されたようだが、このことによって米軍が日本に核兵器を持ち込めなくなったわけではない。一九八一年、エドウィン・O・ライシャワー元駐日大使は、関係者の共通認識となっていると彼自身が見なしていることについて証言をして波紋を広げた。その共通認識とは、核を搭載した米軍艦船が恒常的に日本の領水や港湾に入ってきていることであった。[*24]

ビキニ事件のあと、日本の内外にいる「核の傘」の支持者たちはただちに多方面にわたる攻勢に出た。その時、そしてそれ以来、反核運動は筋金入りの共産主義者に操られているうえに、「病的に敏感な」被害者意識が反映されたものであると卑下され非難された。

この時、あたかも核爆弾を愛することが健康的であり、それを恐れたり嘆かわしいと思うようなことはある種の病気であるかのごとく見なされ、日本人に対して「核アレルギー」という軽蔑的なレッテルが貼られるようになったのである。

同時に、米国は日本じゅうで原子エネルギーの平和的利用を増進することで、核軍拡競争から世の注意をそらす運動を集中的に展開した。この「核の平和利用」推進運動の成功は、半世紀以上のち、二〇一一年に福島第一原子力発電所のメルトダウンによって日本の核エネルギー依存が注目された時、広く認識されるところとなった。福島第一原発の災害は、核に関する先進技術によって、日本が膨大な分離済みプルトニウムを蓄《たくわ》えた「擬似核保有国」ないし「事実上の核武装国」となっていることを広く想起させるのに一役買った。そのプルトニウム貯蔵は、日本が万が一にもそれを核開発に転用する決定を行えば、一年かそこらで核保有が可能になるほどのレベルである。[*25]

一九五〇年代以降、日本の保守指導者層は核政策についていえばジレンマにとらわれていった。一九六〇年代から、日本の保守指導者層は、国内の核兵器反対世論に対して、日本政府が核軍縮の理想を支持している姿勢を示すような大げさな意思表示を何度も行うことで乗り切ろうとした。これらの「ジェスチャー」には、一九六七年に佐藤栄作首相によって導入され、その四年後に国会も決議のかたちで支持し、広く人口に膾炙《かいしゃ》した「非核三原則」(核兵器を、持たず、作らず、持ち込ませず、と誓っている)が含まれる。日本は一九七〇年にはNPT(核不拡散条約)にも署名している(批准は一九七六年)。そして佐藤栄作は一九七四年に、非核に果たしたその役割を理由にノーベル平和賞を受賞した。

しかし同時に、核の傘の下で生きるということは、日本が秘密性や、二枚舌、米国の核政策への一途な追従といった問題を抱えることにもつながった。ビキニ事件後、そしてその後の数年間に、日本の高官と政府は、公には米国の水爆実験に懸念を表明しつつ、米側の高官と政府に対しては、これらの懸念表明は単に「国会内の反対党に対する機嫌取りであり……主として国内向け」と理解されるべきである、と内々に保証していた。日本の高官や政府が内話として説明したところによれば、彼らの公の抗議は「見せかけの行動」にすぎなかったのだ。[*26]

一九六〇年に岸信介首相によって安保条約が改定された時に作成された秘密付属文書(日付は一九五九年にさかのぼる)は、「中距離および長距離ミサイル、ならびに、かかる兵器のための基地建設を含む、日本への核兵器の持ち込み」に関する両政府間の協議に言及している。[*27] 同様に、一九七二年における日本への沖縄施政権返還にさいしても、佐藤首相とリチャード・ニクソンとのあいだに事前の(一九六九年一一月の)秘密合意があった。その合意は、緊急時に米国は再び沖縄に核兵器を持ち込むことができるとし、さらに、沖縄県内にある嘉手納・那覇といった現存する核貯蔵地と地対空ミサイル・ナイキハーキュリーズをいつでも使用可能な状態に維持しておき、重大緊急時においては使用できることを是認する内容であった。[*28]

冷戦の、そしてまたその後の様々な折りに、影響力ある日本の政治家ならびに高官は——ときに内々に、また、しばしば公に——自ら「核アレルギー」に罹《かか》っていないことを言明してきた。たとえば一九五七年五月、岸首相は国会の委員会で、「自衛力のため」であれば憲法は核兵器の保持を禁止していない、と発言した。その四年後の一九六一年一一月、岸の後任である池田勇人首相は米国務長官との会談で、日本は自前の核を持つべきかどうか考慮していると述べた。(もっとも、池田は米側から、核の拡散には反対であると言われていたが。)中国による初の核実験から二カ月後の一九六四年一二月には、佐藤がライシャワー駐日大使に対し、日本の核開発の可能性について語った。そして一カ月後、佐藤は米国防長官に対して、中国とのあいだで戦争になった場合、日本は米国がただちに核兵器による報復を行うことに期待すると述べている。さらに、NPTに署名したにもかかわらず、日本の政治家と政策立案者たちは、日本が戦術核を保有することの可能性を秘密裡に検討していた。この数十年間にわたって、保守的な政治家や高官たちは、核保有が憲法上可能であり、戦略的にも好ましいのだという提案を公言してきたのであった。[*29]

このようなジェスチャーを行っているあいだに、日本は核兵器により被《こうむ》った悲劇の経験を構築し、単なる言いまわしと「見せかけの行動」を乗り越えて、核軍縮と最終的にはその廃絶を促進する、力強くも指導的な役割を演じる機会を――おそらくは永久に――失ってしまった。

それればかりでなく、米国および日本で核兵器の傘を支持する人々が「抑止力」と言うところのものが、この兵器の標的となっている人々から見れば脅威をあたえ挑発的なものであるという、明白なことへの関心も失われてしまった。

七　中国と日本の脱亜

第二次大戦からおよそ七〇年がたつのに、日本と中国は理想的とも言える心底からの平和と呼べるものを、おそらくは樹立するにいたっていないと言わざるをえない。そもそも一九世紀半ばの西洋列強によるアジア侵入を始まりとすれば、日中それぞれの経験は全く異なるものであった。現代中国にとって、自国の近代の物語は大半が外国勢力に嘗《な》めさせられた恥辱の物語であった。ありとあらゆる物語が書かれるさい、この恥辱が始まった時期が正確にはいつなのかが明確にされてきた。それは一八四〇年の第一次アヘン戦争で中国が完膚なきまでに敗北し、イギリスおよび他の西洋帝国主義諸国によって不平等条約を押しつけられたことをもって始まる。

対照的に、西洋の挑戦に対する日本の対応は、その時代に鳴り響くような成功をもたらした。その成功のなかには、福澤諭吉が用いた有名で刺激的なフレーズ「脱亜」をスローガンとして断行された急速な「西洋化」があった。この成功——一般にはそう考えられている——の契機となる出来事が一八九五年に起きた。この時日本は、第一次日中戦争(日清戦争)で中国を敗北させて帝国主義諸国の陣営に加わり、敗戦国中国に不平等条約を押しつけ、最初の植民地として台湾を手に入れたのである。(朝鮮は一九一〇年に併合された。)より大きな世界の舞台で、日本が得た戦利品には列国の一つとして遇される地位というものもあった。その後、一九四五年までに日本が中国で行う略奪行為は、この一八九五年の出来事が起点となっている。一九五一年のサンフランシスコ講和は理屈のうえで、この一八九五年を分岐点として、以降に不正に獲得された宗主権を日本から剝奪し、帝国の一部を正当な主権の下に返すことにしたのである。*30

一八九五年から一九四五年までのあいだに、日本によって打ち負かされ、版図を切り取られ、侵略を受け、占領されたという恥辱がこれまで中国国内で消えたことはないし、これからもけっして消えることはないだろう。他方、一時的な征服者(に加えて、かつて戦前は西洋化に成功し、戦後は経済大国となった者）の傲慢《ごうまん》さが日本から消えることもなかった。深いところでしっくりいかない歴史物語が、記憶を操作する権力機構によって生命を吹き込まれ、かくて今日の日中関係はとりわけ危険なやり方で傷つけられている。それと同時に、現代中国のナショナリズムに油を注ぐ歴史的な恥辱を味わわせた者のなかには、日本ばかりでなく西洋諸国も含めて考えられていることに留意すべきである。

もちろん、中国にとって歴史に根ざす不平不満の鬱積は、第二次大戦で日本に勝利しても、一九四九年に共産党（軍）が勝利しても、止むことはなかった。それどころか、一九五一年の講和会議から中華人民共和国が排除され、さらに日本がワシントンからの命令による中国「不承認」と「封じ込め」の政策に取り込まれたことで、そのような不平不満は膨れあがった。以後二〇年ものあいだ、一九七二年に終止符が打たれるまで、日本はアジア大陸から引き離され、アメリカという新たなパートナーによって抱きとめられた。冷戦という時代の考え方は日中間の対立が長引くことを歓迎し、それを助長したのである。和解と癒《いや》しは挫《くじ》かれ、過去と折り合いをつける道のりにおいて大きな妨げとなる風潮が時代に根を張り、その座を占めることとなった。

ワシントンの封じ込め政策において想定され、言明されていたことは単純なものだった。アメリカの指導する「自由世界」がモスクワの指示する一枚岩の共産陣営と対峙するのだ。中国は、ソ連の傀儡《かいらい》あるいは衛星国家にすぎなかった。そして日本は、（ヨーロッパにおける西ドイツと同じように）再びアジアの「工場」となりうる能力を持っており、共産側との密接な交流を許せば、この二極化された世界の勢力バランスを動かしかねないとされた。*31

それほど広く知られていないが、日中離間《りかん》のもう一つの背景には、日本の「脱亜」の心情につけ込んだという人種差別的な意味あいがある。ジョン・フォスター・ダレス（のち、国務長官に就任した）は、対日講和・日米安保両条約を御膳だてした人物であったが、一九五一年一月に東京にいた英国外交官との会談のなかで、その点を次のように述べていた。すなわち、「日本人はアジア大陸の民衆に対してある種の優越感を持ってきた」。そして、その結果（日本人は）「西洋国家の側に属すか、または受け入れられていると感じたい」とダレスは述べていたのである。（この英米二人の外交官は、「選ばれた良きアングロ・サクソン倶楽部」への日本人の提携ということにも言及していた。）残虐な戦争から六年も経っていない時期に、日本の昔日の敵は、白人の優越と日本人が西洋に対して持つ羨望と他のアジア人に対して持つ軽蔑の融合を基にしたパートナーシップを構想していたのだ。*32

大方は実際的な理由によって、日本の保守勢力の多くは、日本対中国という、マニ教的な〔二元対立的な〕見方には同意しなかった。日本についていえば、封じ込め政策はけっして厳密なものではなかった。一九五二年から一九七二年にかけて、日中間には小規模な貿易や政治・文化・実業・労働の分野で非政府間の、または半官半民の代表団交流が行われていた。同時に、日本が北京との外交関係を回復することや共産党政府を中国の唯一の政府として承認することはできなかった。

こうした状況は、一九七一年七月にリチャード・ニクソンが米国は〔対中〕封じ込めを放棄し、間もなく中華人民共和国を訪れると突如声明したことで、劇的に変化した。米国の対中政策の一八〇度転換は世界に衝撃をあたえたが、とりわけ日本はほろ苦さを味わった。なにしろ、日本政府は米国の対中新政策についてニクソン声明のわずか一五分前にしか知らされなかったのだから。このように日本は、無遠慮なやり方で二〇年前に対中封じ込めへの参加を強制されたのと同じく、再び世界の面前で恥をかかされた――こんどは政策が逆方向に転回しただけのことだった。ニクソンによる対中和解は一九七二年の日中国交回復へ途をつけることになった。

この対中封じ込めの放棄が持つもっとも重要な意味は、他の情勢展開と重ねあわせることで見えてくる。そうした情勢の展開には、ベトナム戦争の沈静化、沖縄の日本返還だけでなく、日本「経済の奇跡」の予兆、そして、その経済の奇跡が日本再軍備にどのような影響をあたえるかといった不確実性も含まれていた。一九七一年に周恩来と極秘トップ会談を行い、米中和解への基礎を築いたヘンリー・キッシンジャー国務長官は、ニクソンに対して、「日本の軍国主義復活に対する恐怖が、われわれの討議での主要テーマの一つであった」と伝えた。翌年に北京で開かれたニクソン大統領本人と周首相との会談でも同じテーマが持ちだされた。日本の指導者がこれらのやり取りを関知していたならば、ニクソン訪中に関する通告を寸前になって聞かされて味わった恥辱など、無視できるほどのものだったであろう。*33

周恩来が米側に伝えたように、日本の経済ブームは必ずや対外膨張につながり、次いで不可避的に——とりわけ「日本人に伝統的な軍国主義的思考」を考慮にいれるならば——軍事的な膨張をともなうことを中国は恐れていた。周は、ある時、日本の軍事力が近い将来に台湾や韓国へ派兵される可能性を中国は特に懸念していると明らかにしたうえで、日本は「野生の馬」であると述べた。中国が望んでいたのは日米安保条約の廃棄と日本が非武装中立の状態になることだった。

キッシンジャーとニクソンはこの非現実的なシナリオを、日本軍国主義復活の恐怖は不合理だという理由によってではなく、（キッシンジャーの言葉によれば）「逆説的になるが、日本における米軍のプレゼンスが日本人を抑止することになるのであって、彼らをその逆に向かわせないことに役立つ」という理由で退けた。ニクソンも次のように述べている。すなわち、日米の防衛関係を維持することで「〔周〕首相が正しく指摘されるような、経済膨張とそれにともなう軍事的膨張といった事態へ日本が向かうことを抑えるのであり……もしわれわれ米国がそのような緊密な関係を持たなければ、彼ら〔日本人〕は米国を無視するようになるでしょう」。

これらは、日本に基地を置く基礎となる合理的根拠が日本の管理にあるということを率直に認めている発言であるが、その他にも日本の忠実な親米指導者が聞いたら困惑するような言明はいくつも存在している。キッシンジャーは、日本の中立主義は「おそらくたちの悪い国家主義の形をとるだろう」と論じた。ニクソンもこれに同意しつつ、防衛における日米協力関係がないと、「日本人が膨張主義に駆り立てられた歴史」を考えるならば、彼らは国民として「軍国主義者の要求に影響されやすい」などと述べた。ある時キッシンジャーは、周が表明した懸念に応えて、日本の国民性について次のような敷衍《ふえん》した批判を明らかにした。キッシンジャーは、「中国人の哲学的な見解は世界一般に通用するが、日本のそれは伝統的に部族的」であり、日本人は「突然に爆発的な変化を起こしやすい」国民だと述べ、さらに、アメリカ人は「日本人が経済的膨張への衝動を持ち、それが絶対的に必要であるという考えを持っていることについて、何の幻想も抱いていない」と言明したのだった。周が、アメリカの核の傘によって日本は他国に対してより強腰になっていると述べると、キッシンジャーは、他の選択肢は「ずっと危険で、もし米国が核の傘を引き揚げれば、日本人が非常に急速に核を開発することは疑いない」と言明した。二国間安全保障条約と在日米軍基地という拘束をなくせば、日本は概ね安定した状態から不安定へ向かうと予測するほかなかったのだ。

米国側はこのような議論で、その後中国が日米安保批判をやめるところまで容易に持っていくことができた。ちょうど米国のもっとも高位の高官が、中国側の日本に対する不信に理解を示していたころ、日本と中国は和解の共同声明を両者別々にまとめていた。この、米・中・日が和解をなしとげた蜜月期には、三者共にソ連に対する戦略に気をとられていたことが効果的に働いて、それまでのお互いの敵愾心《てきがいしん》を覆いかくしていたのである。[*34]

正式な日本と中国との和解は、一九七二年から二〇〇八年までにまとめられた四つの共同文書で確認された。これらの宣言によって、特に実業・通商・技術移転の分野での目ざましい結果をともなう、国境を越えて相互に利益のある交流を花開かせるような二国間交流が創造され、強化された。しかし、このような友好宣言や二国間統合の具体的な成果が現れてきたにもかかわらず、和解は壊れやすく、心の底からの平和も逃げていきやすいものだった。二〇一二年九月に始まった尖閣（釣魚）諸島紛争は、この日中二国間関係のもろさに警鐘を鳴らす好例であるが、同紛争は、一九八〇年代、つまり日中関係正常化の直後からすでに顕在化していた緊張や不一致が露わになったものにすぎない[*35]。

一方には一九七二年以降の誠実な日中和解があり、他方にはサンフランシスコ体制成立にさかのぼる緊張の増大があるという、この並行し、同時に矛盾を孕んだ日中関係の軌跡はきわめて印象深いものであり、われわれを不安な気持ちに駆りたてる。尖閣（釣魚）諸島紛争はこうしたことの一例にすぎない。もう一つの例は台湾である。ワシントンと東京が唯一つの中華人民共和国政府の下にある「一つの中国」を承認してから四〇年間、台湾はずっと不和と不信の源泉であったが、これについて中国は米国も日本も現実には再統一を望んでいないと認識している。これとは対照的に、日米の統合軍事計画の多くは、いぜんとして台湾海峡危機への対応を想定したものになっている[*36]。「中国封じ込め」は、第二次大戦後の初期の政策が今日生起している出来事と結びついていることを示している。二〇一〇年代は——それは冷戦の封じ込め政策が導入されて六〇年後、そして外交関係の「不正常な状態」が表面的には否定されて四〇年後にあたる——新たな中国の脅威に警鐘を鳴らし、新たな軍事的封じ込めを要請する日米の戦略家や有識者たちのおかげで憂鬱な空気に覆われている。

日中関係を蝕む不信のもっとも根ぶかい遺産は、おそらく関係正常化以後はげしくなった「戦争の歴史」をめぐる対立にある。中国に関して言えば、排外的ナショナリズムは一九八〇年代以降に市場指向型の改革が牽引《けんいん》した、マルクス主義イデオロギーの衰えを埋めあわせるために促進された。日清戦争以来の中国における日本の略奪的行為を考えるならば、犠牲と恥辱の歴史物語において日本が第一の悪役となったことも驚くにはあたらない。しかし、このように日本を悪魔に仕立てあげることは、戦後日本に噴出し、帝国日本による侵略や戦争犯罪の否定をその中心的役割としていた右翼ナショナリズムによって、計り知れないほど煽動された。

中国の国家主義者たちと同様に、日本の新国家主義者たちは、複雑にねじれたかたちで、自尊心と恥辱の混ぜあわさった感情と呼びうるものに駆り立てられている。すなわち、逆境をはね返して戦後の超大国にのしあがったという自尊心であり、恥辱とはこの場合、かつて聖戦と見なされたものが驚くべき残虐行為や犯罪行為と見なされるにいたったことから生じる。保守派が行っている日本の戦争の語り直しの多くは、日本の国家的名誉につけられた瑕疵《かし》をきれいさっぱり取り除いてしまうか、少なくとも小さくしようという努力を反映している。そして、こうした歴史修正主義の多くは、それが海外からはいかに否定的に見られているかということにはほとんど頓着せずに、日本国内の聴衆と有権者に向けられている。

実際、敗北の重荷は犯罪性に対する非難が加わることで、これら保守主義者たちのうえに——時がたつにつれて重くなることこそあれ、軽くなることはない——重しとなってのしかかり、その重みによって日本は心身が衰弱するような不快感に苛《さいな》まれた。戦争の時代を浄化したり、政府による謝罪や悔恨の表明の足を引っ張ることは、広く他者——外国人だけでなく多くの思慮ぶかい日本人を含む——からは、不誠実であるばかりでなく、帝国日本の対外膨張と侵略の犠牲に対して恐ろしく鈍感であると認識されている。このことが、特に中国人や韓国人に、日本人は〔アジア人としての〕共感やアイデンティティ、責任感、罪悪感、悔い改めの気持ちといったものを全く欠いているという印象をあたえている。それは、日本が再び「アジアを捨てる」ことを意味する。

日本と中国が一九七〇年代以降、どれだけ何度も、また、いかに真摯《しんし》にアジアの平和と発展のために協働すると誓ってきても、そして、いかに両国間の相互作用と経済的依存が巨大になろうとも、結局、日本の指導者たちにとってもっとも決定的な重要性を持ってくるのは、緊密な日米関係の継続なのである。

八　「従属的独立」

戦略的にも、物質的にも、また心理的にも、アジアにおける——そして、より一般的に世界における——最近の日本の地位は曖昧さに満ちている。このことは相当程度、中国が経済大国として台頭し、それに反比例するように、一九九〇年代以降、相対的に凋落《ちょうらく》した日本の姿を反映している。一九七〇年代と八〇年代に日本に貼られたレッテル——「経済大国」「奇跡」「ジャパン・アズ・ナンバー・ワン」等々——は、日本に関しては霧消してしまったが、けっしてなくなったわけではない。それらのレッテルは、程度の違いこそあれ、中国に貼り直されたのだ。

もちろん、この役割交替やレッテルの貼り直しには、大きな誇張がある。日本はいぜん主要国であるし、中国は経済的にも、政治的にも、社会的にも、人口的にも、環境的にも、とても厳しい課題に直面している。それでも、冷戦初期——そのころアメリカ人は太平洋を「アメリカの海」と言い、日本こそ唯一アジアの偉大な工場となるべく計画されていた——以来、重要性や影響力における構造的な転換は起きてきた。今や皆の目が、アジア太平洋地域に日の出の勢いで台頭しつつある魅力的な国民国家としての中国に注がれ、そして、このことが予示する権力政治の不確実な構造に注がれている——その構造とは、なかでも米・中・日の関係する「三角形」のことだ。

しかし、この「三角形」は不均衡である。というのも、その「三角形」は争う余地のない二つの自立国家（米中）と三番目の国である日本から成り立っているが、その日本がいまだに真の自立を欠いたままだからだ。これこそ、サンフランシスコ体制のもっとも厄介な遺産であろう。そして、冷戦期の封じ込め政策の元々の前提を考えるとき、それは特に皮肉である。冷戦期、国際共産主義は一枚岩で、新たに成立した中華人民共和国はモスクワの傀儡ないし衛星国家にすぎない、と論じられていたのだから。中国の独立が誰の目にも明らかになってきたのは、一九六〇年代初期に勃発した中ソ離間以降で、今日ではおそらく誰も中国の自立を疑問視できない。同じことが、ワシントンの言う「自由世界」の同盟国である日本については言うことができないのだ。

日本の自立性が制限されたのは、日米軍事関係の性格に固有のことである。日米間には、サンフランシスコ体制成立以来、とりわけ一九七〇年代に始まる日本の経済的膨張の絶頂期には、多くの問題で不和が存在したけれども、もっとも厳しい貿易紛争でさえ、安保同盟を動揺させることはなかった。わずかな例外はあるものの、ワシントンの基本的な戦略および外交政策が東京で反対にあうことはない。同盟の強固な支持者でさえ、それ

〔同盟〕が「本来的に非対称であることを避けられない」と認識している。もっと厳しい批判は、冷戦の終焉以来、日本はその度合いを小さくするのではなく、ずっと深化させるようなやり方で米国の「属国」になったと論じつつ、従属性や卑屈さといった言葉を用いる。[*37]

この不均衡な関係は、現象としては日本に平和と繁栄というかたちの利益をもたらしたと論じることはできる。しかし同時に、第二次大戦後の日本は、実際にソ連やいわゆるソビエト・ブロックからの深刻な外的脅威に直面したことはなく、日本の繁栄はアメリカによる庇護よりもはるかに自らの努力から引き出されたものであると論じることも可能である。いずれにせよ、日本にとって平和と繁栄は、アメリカの戦争マシーンの歯車の一部になるというコストを払ってもたらされたのであり、そのマシーンは様々な時間と場所で平和を保ってきたことも事実だが、しかし資源を浪費し、軍拡競争を促進し、核兵器の「先制使用」をちらつかせ、(市民を標的にしたり、拷問を行うなどの)残虐行為に手を染め、朝鮮半島・インドシナ・イラク・アフガニスタンで途方もない破壊と苦痛をもたらしてきたのである。属国としての地位にあることで、より軍事色は薄いものの、先見性がなく逆効果を招くことも多い米国の外交政策へ、ほぼ無制限といってよい支持をあたえることも求められてきた。属国の地位にあることで、地政学的な柔軟性は抑えられ、日本側が創造的な政治指導を発揮する現実的な可能性もいっさい潰《つい》えていった。

あらゆる政治的立場にわたる、少なからぬ日本人にとって、この延々とつづく主従関係は、一九七二年に日本と中国が放棄するにいたった関係と同じくらい「不正常な」ものである。このことから、日本人のなかには、とりわけ「アジアの」国としての日本の方向性やアイデンティティをめぐる外交の基本政策上の問題を突きつけられる人たちがいる。その一方で、国家の自尊心が根本問題であると考えている人たちもいる。保守的な人々ならびに右翼の人たちが使う「普通の国」になるという煽動的なフレーズは、改憲と再軍備に対する制約を取り払うことに焦点をあてている。しかし、再軍備の加速が、真の独立と自立へ向かう途になるという考えは欺瞞的だ。日本はアメリカの軍事的な抱擁から抜けることはできない。実際に、アジアばかりでなく世界規模で次々と進化するその世界戦略の構想を支持させるために、憲法の制約を取り払った、より軍事化されたパートナーを求めているのがアメリカなのだ。

非対称性は米国とその同盟国とのあいだでは例外的なことではない。それどころか、階層的序列さえ戦後の「パックス・アメリカーナ」の覇権的性格には含まれている。そうしたことにもかかわらず、ワシントンとその同盟国とのあいだの二国間関係のうちで、日米関係ほど構造的な不均衡が顕著であり、論評に値する例はないと言うことができる。戦後にアメリカが行った戦争や平和政策には賢明さや節度といった面がしばしば不足しているという事実を認めている日本人からも、二国間の貴重な友好関係を維持しつづけるためにはワシントンからの命令に従うことなど安い代償である、といった意見が普通に出されるのである。

太平洋戦争の憎悪と恐怖を想起するとき、友好関係が本当に貴重なことは言を俟《ま》たない。しかしながら、その友好のために、サンフランシスコ体制の下で払ってきた代価は――属国と見なされていることの恥辱で測ろうと、また、戦争と平和の問題について説得力をもった真の言葉で自ら語ることができないという有様で測ろうと――通常認められている以上に高くついている。残念ながら、このような状況こそが二〇一〇年代に持ち越された不幸な遺産なのである。今こそ、権力政治が変化しつつあり、「アジアの世紀」は間近いという声がこれまでにないほど強まっている時代なのに。

3 現在の不確実性

一九七二年に米国が中国との関係を回復したこと――それはベトナム戦争の沈静化と同

じ時期のことであった——は、ほぼ四〇年におよび米国がアジア太平洋地域において並ぶ者のない戦略的優位性を保持する先駆けになったと、一般には認められている。北京の共産党政府は、ワシントンがその正統性を承認する見返りに、日米安保同盟に対する批判を止め、圧倒的なアメリカの軍事的優位性を批判したり、それに挑戦することを控えた。米中がソ連への敵対感情を共有していたことが、この合意を強固にすることに一役買った。また米国が、日米二国間条約がある限り日本は再び軍事大国とはならないであろうし、また実際になりえない、と保証したことも一役買った。[*38]

結局、この暗黙の了解は、中国の指導者をして、自国がより繁栄するまで——その繁栄は予想以上に早くおとずれたが——太平洋における米国との巨大な力の不均衡を受容させることになった。[*39] 一九七八年以降、資本主義的な市場原理を導入した諸改革によって、中国は一年あたり平均約一〇%の成長率を達成した。二〇〇八年、中国は日本を抜いて、外国としては最大の米国債権保有国となり、また、世界最大の債権国となった。二年後、中国の国内総生産（ＧＤＰ）は日本を追い抜き、「国家資本主義」下の中国経済は米国に次ぐ世界第二位の規模となった。中国のＧＤＰがいつアメリカを追いこすかという予測はたいていわずか二〇年くらいだろうと見ている。したがって、それは二〇三〇年ごろということになる。

この驚嘆すべき成長がもたらした一つの帰結は、中国と、アジアの隣邦だけでなくアメリカやEUを含む世界との相互依存を増大させたことである。中国は海外投資の世界最大の受入国となり、また、最大の取引者となった。中華人民共和国は輸出入においてたちまち日本の最大の相手国となり、他方で、米国は中国にとって主要な輸出市場となり、貿易全体でも（EUに次ぐ）第二の相手国となった。中国が世界経済に統合されることは、将来の平和的関係のための確固とした基礎になりうるし、またそうなるであろうという方向へ向かって利害が実際に集約されていく兆候のように思われた。

二〇一〇年代になって、このような利益の共有は危うくなったように思われる。経済のグローバル化は、より一般的な大国としての地位を求める中国の主張を、世界が受け入れることに役立った。そして、中国は大国という地位への切望を膨らませるにつれ、四〇年前の交渉で成立した妥協を覆し、軍事力の現状維持に挑戦するようになった。サンフランシスコ体制の、問題を孕んだ非常に多くの遺産が人々を不安にさせるようなかたちで再び表面化したのは、まさにこのような環境においてである——その遺産には領土紛争や、対立しあう歴史論争だけでなく、加速する日本の軍事化なども含まれる。このような不安定で流動的な状況への米国の対応は、太平洋地域で対抗する者なき「パックス・アメリカーナ」の維持を目的とした、新たな段階の戦略立案に取り組むことだった。

中国が今後何十年にもわたって直面することになる途方もない国内課題を考えるならば、軍事改革の目標は米国との戦略的均衡を達成することではない。そのようなことは実現不可能だ。むしろ主要な目的は、米国による中国沖合水域への戦力投入を弱体化すること、ないし抑止することを可能にし、ヘンリー・キッシンジャーが言う中国にとっての「軍事的包囲の悪夢」を追い払うだけの強い軍事力の開発を進めていくことにある。[*40] 軍事用語でこの任務は、中国による「接近阻止／領域拒否」（anti-access/area denial＝A２／AD）能力の追求と言われているもので、特に戦略的関心の高い区域は、中国人（および他国人）が第一列島線として言及するものの内部であり、その第一列島線は黄海、東シナ海、南シナ海を包摂する。この領域での行動阻止戦力の中核となるのは、たとえば万一に台湾をめぐって紛争が生じた場合、米国の軍事介入を中国が相殺できるような「非対称な能力」を増強することである。

この中国側の急速な軍事化は、台頭する経済の力や自己主張の強いナショナリズム以上のものを表している。中国の急速な軍事化は、一九九一年のソ連崩壊と同時期に生じたデジタル技術の急激な進化と、精密誘導兵器による戦争の革命的な変革が先鋭化し、新たな領域にまで達するという、技術上の要請によるものである。この中国の軍事力増強下における、いわゆる「非対称な能力」は、広範な兵器におよぶ。それらはすなわち、核弾頭、[*41]

短距離および中距離弾道ミサイル（これには空母攻撃用対艦弾道ミサイル「東風21D」が含まれる）、長距離巡航ミサイル、「第四世代」ジェット機ならびに「第五世代」ステルス戦闘機（殲〔撃〕20型）、ミサイル搭載潜水艦、軍艦、航空機、構想段階の空母遠洋艦隊、光通信による命令管理センター、先端的なレーザーおよびレーダー・システム、衛星監視システム、衛星攻撃およびサイバー戦争能力、等々を含むものである。万が一、米軍との衝突が生じた場合、おそらく中国側はグアムならびに沖縄の基地（特に嘉手納基地）に対するミサイル攻撃を含めた応戦をすることになろう。*42

新しいハイテク戦争の世界において、後発国によるこのような軍事力近代化の計画は予測できるものだ。そして、米国の圧倒的な軍事的優位性を（特に日米両国で）当然視している人々に警戒心を呼び起こしたのも予測できることである。レトリックに関して言えば、中国の台頭に対する米国の反応は、しばしば冷戦初期を思いださせるが、もはや反共主義でこのレトリックは説明できない。比較的に変わっていないことといえば、米中間で価値、利益、政策（アジェンダ）が一致していくのではなく、基本的には敵対するという想定である。二〇一二年だけでも、アメリカ人には「中国の脅威」、新たな「対中冷戦」、さし迫った「アジアの支配権闘争」といった見出しや著作が雨霰《あめあられ》と降りそそいだ。「対中封じ込め」は旧世代を引き継いだ地政学上の知恵として息を吹き返したのである。もう少し冷静な評論家は「中国叩き症候群（チャイナ・バッシング・シンドローム）」の広がりに注意を促した。[*43]

「中国叩き」それ自体は、比較的近い過去――特に日本がまだ大国として伝説化され、「日本叩き（ジャパン・バッシング）」という言葉がアメリカで大流行りした一九七〇年代や八〇年代――を思い起こさせる。しかし、両者で比べられるものはほとんどない。「日本叩き」はもっぱら経済問題に焦点をあてていたし、日本が注目を浴びたのは束の間だった。中国の台頭が一過性の現象だと信じている者はいない。中国の台頭は、米国に未知の挑戦状を突きつけている。すなわち、圧倒的優位ではない立場から太平洋において権力を行使するということであり、第二次大戦後このような例はなかった。

米国の軍事戦略を立案している政府関係者の間で、中国のA2／ADに対抗することを目的としてもっとも広く知られているのは、エア・シー・バトル（Air-Sea Battle＝ASB）と呼ばれるものである。二〇〇九年に国防長官によって初めて公にされたこのエア・シー・バトルは、敵勢力の「非対称な能力」を圧倒しうるような、空域、海域、宇宙空間、サイバー空間での戦力統合が求められるものであった。二〇一一年八月、ペンタゴン内部にエア・シー・バトル事務局（Air-Sea Battle Office＝ASBO）が設けられたが、ASBOが公にした略記号過多の文書は、他の公式声明で繰り返されている紋切り型の表現で、「エア・シー・バトルの概念とは、A2／ADの脅威を分断し、破壊し、撃破することを目的とした、ネットワーク化され、統合化された縦深《じゅうしん》攻撃（networked, integrated, attack-in-depth to disrupt, destroy and defeat〔NIA―D3〕）を中核とする」と説明している。他の公式文書では、その最終目的は、「アメリカと同盟国の空域・海域・宇宙空間における優越を保護することにある」といった、よく使われる表現となっている。[*44]

米高官はたいてい、エア・シー・バトルが特に中国を標的にしたものではなく、一般的なものであり、かつ未だ初期段階の構想であると注意ぶかく発言している。実際、エア・シー・バトルという概念は、一五年ほど前に開始された、中国を第一の仮想敵とする（イランがだいぶ脅威度の低い二番目の仮想敵だった）図上演習にさかのぼる。これらのシナリオは、中国のA2／ADの能力の分断・破壊・撃破が、中国大陸の深部にある監視システムやミサイル防衛の破壊に加えて、空と海からの「大規模な襲撃」をともなう作戦を含む可能性のあることを明らかにしている。[*45]

エア・シー・バトル戦略による諸提案に対しては、ワシントンの軍事戦略を立案する者からも、経費や危険性、そして既存の米軍基地への影響やアジアにおける諸作戦との関連で批判が起こった。しかし、こうした議論の多くは、軍部間の縄張り争いや、エア・シー・バトルと現在用いられているその他の戦略との整合性――それらにはASBと同じような軍事上の略号がつけられている――をはかるためになされたことだった。そうしたなかには、ペンタゴンの上位の戦略である「統合作戦アクセス構想」（Joint Operational Access Concept＝JOAC）、「アクセス獲得・維持構想」（Gain and Maintain Access Concept＝GMAC）や「統合侵入作戦構想」（Joint Concept for Entry Operations＝JCEO）、そして海軍の「相互拒否戦闘空間戦略」（Mutually Denied Battlespace Strategy＝MDBS）などが含まれる。アジアの戦略分析家が要点を述べているように、陸軍と海兵隊のJCEOが、「敵領土内陸部への侵入敢行と維持を目的とする上陸、空挺、空襲作戦」に重点を置いているのに対し、海軍のMDBSでは、米中間の衝突が起きた場合に、「米海軍の優位性に依拠して中国軍艦船が中国の沿岸海域に入ることを阻止し、また中国商船が周辺海域で活動することを阻止する」プランを目論んでいる。二〇一二年、米国はこれらの計画に従って、B1およびB52長距離爆撃機と、高々度無人爆撃機監視部隊の、中東から太平洋への配置転換計画を発表した。[*46]

以上の戦略上の指針は、すべて公開されて容易に閲覧でき、米国は考えを誤ったイラクおよびアフガニスタンでの戦争から撤退しつつ、「アジアへ旋回する」とか「アジア太平洋地域へ軸足を移す」という公式声明が広く引用されるようになった。アジアへの「旋回」という語は、二〇一一年一一月におけるオバマ大統領のアジア歴訪中に初めて使用され、そして同月にヒラリー・クリントン国務長官が「アメリカの太平洋の世紀」という文書のなかでも用いた。このレトリックは、より対立色の薄い、均衡のとれた多国間の権力の分担に向けた取り組みを各国に提案しているにもかかわらず、覇権的な「パックス・アメリカーナ」は維持されるということを誇示するためにあると一般に解釈されている。[*47]

太平洋への旋回は、レベルの異なる二つの統合計画を含意している。一つは、エア・シー・バトル構想に具体化されているが、最新の兵器と軍事技術を最大限に活用した米国の統合的軍事作戦に焦点をあてることだ。もう一つは、日本や韓国のようなアジアの同盟国との、より大きな戦略的統合を増進することを意味している。すべての関係国が一九七〇年代から始まる中国との協調精神と相互依存の回復について、きわめて誠実に語ってはいるが、サンフランシスコ体制が持っている対立的で階層的な側面が、いぜんとしてこの新たな展開を見せる権力くらべの本質を決定づけている。

日本について言えば、精神的トラウマとなる北朝鮮の核開発と中国との緊張の高まりが同時に発生したことで、サンフランシスコ体制の始まりにまでさかのぼる二つの基本政策に新たな方向性があたえられることとなった。その二つの政策とは、アメリカの軍事的な楯の下に身を寄せることと、未改定の「平和憲法」の下で漸増《ぜんぞう》的に再軍備を行うことである。一九九八年に北朝鮮が行った弾道ミサイル実験をきっかけに、日本は米国との緊密な協力により重層的ミサイル防衛システムの構築を優先する一連の政策決定を行った。（特に、この決定は従来の武器輸出制限の見直しと宇宙空間の軍事利用禁止撤廃を含むものとなった。）この決定と一体をなす、新たな「防衛計画の大綱」（二〇〇四年）で、中国の軍事力の近代化に対する懸念が初めて表明された。[*48]

さらに二〇一〇年一二月に発表された「防衛計画の大綱」は、米国による核の傘の下での防衛および抑止という日本の平和的目標を再確認したが、「米国の影響力が相対的に変化しつつあり……グローバルなパワーバランスに変化が生じてい」ることに注目した。新たな防衛大綱は、日本は侵略の深刻な脅威にはさらされていないとの認識を示すいっぽう、戦争にエスカレートすることを防ぐ必要性がある新たな紛争や対立に注意を喚起するものであった。こうした懸念のある日本の新たな防衛政策の「グレーゾーン」のなかには、朝鮮半島、台湾海峡、中国の「軍事力の広範かつ急速な近代化」、そして同国による周辺海域での海洋活動の強化が含まれた。本質的なところで、この二〇〇四年と二〇一〇年の防衛大綱は、冷戦期の対ソ第一主義から、韓国・中国・南方海域・島嶼をめぐる懸念の高まりへと日本の安全保障における焦点が移行したことを反映するものであった。アメリカと中国を戦争計画立案に駆りたてるのと同様の軍事技術的な要請もまた、二つの防衛大綱には反映されている。

二〇一〇年の防衛大綱で画期的なのは、「不測の事態に即座に間断なく対応できる」「動的防衛力」という概念を打ち出したことである。これは、従来の固定的な「基盤的防衛力」に代わる兵力を想定するものであり、「新たな安全保障環境の下」「即応性、機動性、柔軟性、持続性及び多目的性を備え、軍事技術水準の動向を踏まえた高度な技術力と情報能力に支えられた動的防衛力を構築する」とされた。これらの能力を維持することは、不測の事態に備えた計画検討、共同訓練および作戦、情報収集（情報収集能力の宇宙ならびにサイバー空間への拡大）、ならびに、特に弾道ミサイル防衛における「技術協力」などの領域で米国との安保同盟を「深化」させることになるとされている。同時に、新たな「動的防衛力」の強調は、日本側のいっそう前向きな防衛姿勢を顕著に示すことになった。*49

日本には一九六七年に狭義の武器輸出三原則が導入され、一九七六年には「武器輸出制限対象地域および同地域外」への武器輸出を認めない、あるいは慎《つつし》むよう公式に定められたが、二〇一一年一一月、防衛大綱が発表されてほぼ一年がたった時、日本政府は、同原則の緩和を発表した。この緩和措置の早期の結果の一つとして、フィリピンそしておそらくベトナムといった国々への潜水艦売却の可能性が予測されている。アジアへの「旋回」の下に構想された戦略的地域統合のもう一つの例である。二〇一二年九月、日本は米国から二基目の高性能弾道ミサイル防衛レーダー・システム〔Xバンド・レーダー・システム〕を導入すると発表した。これは北朝鮮による挑発に対して向けられたことが明白だったが、北京からは対中封じ込めの新たな一歩であると非難された。二〇一二年一二月、『ウォール・ストリート・ジャーナル』紙は、今や「米国以外で最新のミサイル防衛システム」を持つにいたったとして日本を賞賛したが、その記事には、これは「外国への輸出を前提にしたシステムである」と付記されていた。[*50]

この中国封じ込めが、サンフランシスコ体制の下で初めて導入された時からくらべると、六〇年を経過して、著しく異なり、ずっと複雑で矛盾を孕んだ何ものかへ変貌してしまったことは明らかである。

4 恐怖と希望

このように、どんどん前へ進む新情勢には不安を覚えざるをえない。中国の台頭は、一九五〇年以来アジア太平洋地域を支配してきた「パックス・アメリカーナ」に挑んでいる。軍拡競争が激化するようすも見て取れる——この軍拡は今や、日米がソ連ではなく中国に対抗するかたちで行っており、精密化した戦争とサイバー戦争にデジタル革命の衝撃が加わってもたらされた。私たちは、理性的とは言えない軍事力への信頼を捨て去ることなく、そして、最新式の兵器やソフトウェアによって指導者たるべきより賢明な世代が生みだされてきたと確信できるような理由など持ちあわせていないにもかかわらず、戦略的な緊張増大の時代に入り込んでいる。

この軍拡競争に参加する者はみな、当然ながら平和の擁護を主張する。すなわち、彼らが行う軍事化は「防衛」とか「抑止力」というレトリックのオブラートにくるまれているのだ。しかし、あらゆるところで戦略立案はいつしか偏執病と化していく。熱狂的な愛国主義はますます燃えさかっている。一九七〇年代から苦心して築きあげられてきた中国と他の国々との善意と相互依存の構図は脆《もろ》いものだ。「偶発戦争」への警告も聞かれるようになった。

サンフランシスコ体制の問題に満ちた遺産がすぐに解消すると信じられる理由はなく、また、安定をおびやかす新たな脅威を容易に抑えることができると信じられる理由もない。対抗しあうナショナリズムが、政府内外の好戦的愛国主義者に操られながら若い世代へバトンタッチされ、すっかり定着してしまった。歴史戦争は、国内の聴衆と国内政治上の考慮のために培養されてきた歴史の記憶喪失と密接に結びつきながら、衰えることなくつづいていくだろう。サンフランシスコで署名された講和条約に埋め込まれ、アジアにおける「共産主義」を挫折させることを企図した領土紛争は今後何年にもわたって悪影響をもたらしつづけることだろう。アメリカが築いた基地帝国は、冷戦が終わったあと行われてきたように、姿を変える怪物のように縮小したり拡大したりするだろう。だが、沖縄と「二つの日本」の恥辱が、予見できる将来に劇的に変わることはないだろう。核の傘の下で行われてきた漸増的だが、今や「動的」になった日本の再軍事化は加速しつづけるだろう。それは、改憲が行われればいっそう動的になるだろうが、鷲の翼の下の従属的独立による物質的および心理的束縛をすっかり取り除くところまではけっしていかないだろう。

中国の台頭と米国のアジアへの「旋回」を論評するさいに中心となる概念は、「非対称性」である。この「非対称性」という語には多くの含意がある。たとえば、日米関係の主従性に関心が向けられることになるし、中国の現在の、そして計画中の軍事能力対米国の巨大軍需工場という図式を特徴づけるものでもある。しかしながら、第二次大戦後の米国の戦争経験は、「非対称な能力」が軍事力における圧倒的優位をも挫きうることがあるのをはっきりと示している。これはベトナム戦争の（学ばれざる）教訓であったし、イラクとアフガニスタンでの米国の蹉跌《さてつ》として繰り返されたことである。中国の軍事的な近代化は、アメリカの戦略家が自信満々に「全領域での優位性」と言及するものを抑止するうえで有効な能力を、つまり物理的には劣勢な兵力に秘められた能力を認めることにかかっている。「エア・シー・バトル」や「A2／AD」の脅威に関する軍事用語、さらに「NIA—3D」縦深攻撃などの作戦に典型的に示されている米国の構想は、戦略家や軍需産業が、いかなる面においてもこの悪循環を断ち切る意思が全くないことを裏づけるものである。

非対称性には、サンフランシスコ体制の永続的な支配に対する中国の挑戦が持つ政治的な意味も含まれる。中華人民共和国は権威主義国家だが、アメリカや日本の統治の基礎には民主的な諸原則がある。これは決定的な違いであるが、同時に、日米中すべてが強力な機能障害に陥っていることを明確にすべきである。中国に透明性が欠けていることは明らかだが、秘密性や説明責任の欠落は中国に特有のものではない。冷戦の開始以来——そして、テロリズムが安全保障上の強迫的な懸念となって現れた二〇〇一年九月一一日以後、ほとんど幾何級数的なスピードで——アメリカは前例がないほど過剰に秘密の活動を行う「国家安全保障国家」(national security state)になった。日米中のすべてで、特殊利益が政策決定に影響をおよぼし、それを歪めている。堕落・腐敗、妄想、希望的観測といったものも三国すべてに存在する。ことの成り行きを左右するのが、合理的な政策や慣行ではなく病理であることもしばしばである。

ならば、より安定した建設的な未来への希望はどこにあるだろう。そのような希望は、政治的資源やメディアの注意がそちらへ向けられがちな、軍事対決への執着などには存在しない。中国、日本、韓国では歴史戦争の火を絶え間なく燃え上がらせることに人々が執着しているが、永続的で憎悪に満ちたナショナリズムからは希望の持てることは何も生まれない。また、アジア太平洋地域の支配権をめぐる中国と旧来の「パックス・アメリカーナ」とのゼロ・サム的な闘争を前提とすることによっても安定は確保されない。米国はもはやアジア太平洋地域で唯一の超大国ではないが、途方もない圧倒的軍事力と冷戦初期に結束させた同盟国の際限なく広がったネットワークを維持している。遅ればせながらとはいえ、中国の超大国としての登場は抑えることのできないものだ。それは、二〇世紀前半における帝国日本の破滅的な侵略行為や、戦後日本が一九七〇年代および八〇年代の束の間に大国として見なされたこととは異なる。しかし同時に、国内的また対外的な様々な問題が、中国がこの地域に覇権的影響力を押しつけることを妨げている。

未来の希望は、一九七〇年代に始まる中国との関係正常化とともにあった平和的統合というビジョンへ立ち返ることに、そして、このような楽観的な構想に実体をあたえるような、数多くの具体的な領域にわたる協力関係と経済の相互依存を強化することにある。二〇一二年にアジア太平洋地域の緊張が高まった時、対立関係のより少ない新たな秩序を永続させるためにとるべき選択肢として、「権力分担（パワー・シェアリング）」という言葉が、決まり文句のように叫ばれた。この「権力分担」という考えは「アジアの調和」または「太平洋共同体」あるいは（「パックス・アメリカーナ」に対置されるものとしての）「パックス・パシフィカ」（太平洋による平和）という言葉となって表れた[*51]。

言うまでもなく、これを想像するは易く、実現するは難しである。ことに、領土紛争や軍事的膨張が安全保障だけでなく国家的名誉の問題にまで高まっている時は実現がむずかしい。多国間フォーラムの非効率性が唱えられるなかで、一九九〇年代から活動している「アジア太平洋地域」の諸機関の実情を見れば、各国がよりいっそう建設的に関与するためにそうしたフォーラムにどのようなことができるのかについての教訓が得られる[*52]。しかし、最終的に権力分担の成功は、政府とは一線を画した市民ネットワークの拡大にかかっており、真の相互依存と相互理解の核心はそうしたネットワークにこそある。これら個人および法人団体の連衡《れんこう》は非政府組織や多国籍企業から、教育文化交流、そして観光や大衆文化まで、ありとあらゆる領域を縦横に走っている。この繋がりが草の根レベルの協力と統合の基礎となり――そして、それ自体が超国家主義と敵意に満ちた対立の解毒剤ともなる。

これら、非政府の市民ネットワークはすでに現実のものとなっている。注意を必要とする問題は、すなわち、なぜそれらのネットワークが過激主義や不合理主義の声を決定的に変えるにいたっていないのかということである。市民のネットワークはそれを実現できるだろうか。そして可能であるとするなら、どうすればよいのだろうか。

注

＊1 英国は、一九五〇年一月に中華人民共和国を正式に承認し、一九五一年六月に米国の圧力に屈するまで中華人民共和国の講和会議参加を支持した。朝鮮が講和会議から排除された表向きの理由は、日本の植民地として、第二次世界大戦における対日交戦国ではなかったというものである。一九五一年八月一六日、周恩来中華人民共和国首相（外相兼任）は、対日講和条約ならびに講和会議を批判する声明を発表した。韓国も講和会議から排除されると知ると激しい憤りを表明した。中国および韓国の対応については、John Price, *Orienting Canada: Race, Empire, and the Transpacific* (University of British Columbia Press, 2011), 245-48 を参照されたい。

＊2 サンフランシスコ講和が有する（冷戦という背景と「片面講和」に加えて）三つ目の顕著な特徴は、日米安全保障条約が「不平等条約」の性格を持つことであった。クリスチャン・ハーター米元国務長官は一九六〇年の安保条約改定時、米上院で、「一九五一年から五二年にかけて締結された安全保障条約には、二つの主権国家のあいだの協定として見た場合、かなり極端な規定が多数あった」と証言している（U.S. Senate, Committee of Foreign Relations, *Treaty of Mutual Cooperation and*

Security with Japan, 86th Congress, 2nd Session [June 7, 1960], esp. 11-12, 27, 30-31)。この著しい不平等性は一九五〇年代に東京とワシントンのあいだに相当の緊張を惹き起こし、一九六〇年の単なる更新にとどまらない改定を促した。この問題について、交渉の舞台裏で交わされた様々な文書や論評が、Department of State, *Foreign Relations of the United States, 1958-1960. Japan; Korea*, vol. 18 に収められている。駐日米国大使によって表明された「日本で安保条約について考えられている汚名や不利な点」に関する米国側の憂慮の典型例は同前外交史料集 pp. 23-29 を参照されたい。

*3 主権回復にあたり日本側で中心的な役割を演じた西村熊雄は、彼の非常に有用な『日本外交史27 サンフランシスコ平和条約』(鹿島研究所、一九七一年)のなかで、沖縄を含め、戦後における戦略構想の展開を詳細に記している。また、早くも一九四七年九月、天皇裕仁自身の考えとして、連合国占領軍最高司令官ダグラス・マッカーサー宛に一通のメッセージが届けられた。天皇のメッセージは、共産主義に対する闘いを支持するために、そして、いわゆる本土の占領終了を早めるために、沖縄を二五年から五〇年、あるいは「それ以上」の期間にわたって米国に貸与することを提案する内容であった。同メッセージは、進藤榮一教授によって発見され、「分割された領土——沖縄、千島、そして安保」『世界』第四〇一号(一九七九年四月)、三一-五一頁(特に四五-五〇頁)で紹介された。

*4 エージェント・オレンジや沖縄における有毒物質に関する主要な調査報告はジョン・ミッチェルによって行われてきた。同氏の "US Military Defoliants on Okinawa: Agent Orange" および "Agent Orange on Okinawa–New Evidence" を参照されたい。両論文とも、*The Asia-Pacific Journal* (September 12, 2011, and November 28, 2011) に収められている。これらの論文は、www.japanfocus.org

で閲覧することができる。さらに、*Japan Times* に掲載された同氏の以下の記事も参照されたい。"Agent Orange 'tested in Okinawa'" (May 17, 2012); "25,000 barrels of Agent Orange kept on Okinawa, U.S. Army document says" (August 7, 2012); and "U.S. Agent Orange activist brings message of solidarity to Okinawa" (September 15, 2012). 核問題をめぐる密約については本章「核の傘」の項で議論と説明がなされている。沖縄について英語で書かれたもっとも詳細で怜悧な批判的論評は、最近サトコ・オカ・ノリマツ〔乗松聡子〕との共著で出版された *Resistant Islands: Okinawa Confronts Japan and the United States* (Rowman & Littlefield, 2012)〔『沖縄の〈怒〉――日米への抵抗』法律文化社、二〇一三年〕を含むガバン・マコーマックの諸論稿を参照されたい。

*5 これら領土問題の起源を扱った主要な学術研究としては、Kimie Hara〔原貴美恵〕, *Cold War Frontiers in the Asia-Pacific: Divided Territories in the San Francisco System* (Routledge, 2007, 2012)〔『サンフランシスコ平和条約の盲点――アジア太平洋地域の冷戦と「戦後未解決の諸問題」』溪水社、二〇〇五年、二〇一二年〔新幀版〕〕があり、同書は各章を各領土問題に割いている。原は、サンフランシスコ講和条約に埋め込まれた「熟慮された曖昧さ論」を様々な論稿で繰り返し論じている。たとえば以下を参照されたい。"50 Years from San Francisco: Re-examining the Peace Treaty and Japan's Territorial Problems," *Pacific Affairs,* (Fall 2001) and "Cold War Frontiers in the Asia-Pacific: The Troubling Legacy of the San Francisco Treaty," *The Asia-Pacific Journal* (September 2006)〔accessible online at www.japanfocus.org/-Kimie-Hara/2211〕. 詳細な注釈の付いたインターネット記事としては、Seokwoo Lee, "The 1951 San Francisco Peace Treaty with Japan and the Territorial Disputes in East Asia," *Pacific Rim Law & Policy Journal,* 2002 を参照された

い。

＊6　一九五六年の日ソ交渉に対する米国の対応については、Department of State, *Foreign Relations of the United States, 1955-57. Japan*, vol. 23, part 1: 202-5, 207-13を参照されたい。また、交渉にいたる一九四五年から五一年までの背景については、Hara, *Cold War Frontiers*, 71-99を、一九五六年の妥協案に対する米国の横槍については、同書p.96（と、その史料引用）を参照されたい。

＊7　Hara, *Cold War Frontiers*, 14-49, esp. 31-35, 47.

＊8　Wikipediaの"Liancourt Rocks dispute"という項目は詳細な脚注を含み、多くの韓国語資料にも言及している。朝鮮民主主義人民共和国（北朝鮮）も当該島嶼は朝鮮の領土であると宣言している。

＊9　一九五〇年五月一五日付の同案は、時事通信の北京特派員が報じた。二〇一二年一二月二七日付時事発「尖閣は琉球の一部」と題する記事（www.jiji.com所収）を参照されたい。なお同記事は、同二七日および二八日付『朝日新聞』紙上でも報じられている。

＊10　周恩来および鄧小平については以下を参照されたい。Yinan He, *The Search for Reconciliation: Sino-Japanese and German-Polish Relations since World War II* (Cambridge University Press, 2009), 194; M. Taylor Fravel, "Something to Talk About in the East China Sea," *The Diplomat*, September 28, 2012; and Ezra F. Vogel, *Deng Xiaoping and the Transformation of China* (Harvard University Press, 2011), 303-4. 一九六〇年代後半から言われている東シナ海における石油および天然ガス埋蔵についての推測が、尖閣（釣魚）諸島問題に対する中国、台湾、日本の認識に影響をあたえたことは明らかである。周や鄧が尖閣（釣魚）問題を重視しなかった一九七〇年代以

降、中国が非妥協的な立場を強めつつあるが、この点については、当該諸島が伝統的に中国の一部だと見なされてきたことを示す歴史記録があるというものである。米国の立場は、主権問題には関知しないが、尖閣（釣魚）諸島をめぐる日中間の緊張が衝突にまで高まれば日本側につく義務がある、というものである。中国と沖縄の挟間に位置する島々の歴史に関する哀調すら帯びた論稿として "Narrative of an Empty Space: Behind the Row over a Bunch of Pacific Rocks Lies the Sad, Magical History of Okinawa," *The Economist*, December 22, 2012 がある。

＊11 Hara, *Cold War Frontiers*, 157.

＊12 米国の「基地帝国」という概念は、故チャルマーズ・ジョンソン（Chalmers Johnson）による著作 *The Sorrows of Empire: Militarism, Secrecy, and the End of the Republic* (Metropolitan Books, 2004)〔『アメリカ帝国の悲劇』文藝春秋、二〇〇四年〕で提起された。最近の有用な概論としては、David Vine, "The Lily-Pad Strategy: How the Pentagon Is Quietly Transforming Its Overseas Base Empire and Creating a Dangerous New Way of War" [posted online in July 2012 at www.tomdispatch.com/blog/175568/] を参照されたい。

＊13 Curtis E. LeMay with MacKinlay Kantor, *Mission with LeMay: My Story* (Doubleday, 1965), 382 を参照されたい。同様にルメイが一九六六年四月にプリンストン大学のJ・F・ダレス・アーカイブスが行ったインタビューに語ったことが、ブルース・カミングスの *The Korean War: A History* (Modern Library, 2010) に引用されている。ルメイは、このように荒廃をつくりだしたことを誇りにしてはおらず、航空戦の引き延ばしによってもたらされる荒廃よりは、むしろ、北朝鮮主要都市への即時かつ大規模な爆撃のほうが効率的で、死傷者の被害も少なくて済んだかもしれないと主張

していた。韓国の諸都市は、北朝鮮軍および中国軍によって占領されている時に爆撃された。朝鮮での航空戦全般については以下を参照されたい。Bruce Cumings, *The Korean War*, 147-61; Callum A. MacDonald, *Korea: The War Before Vietnam* (Free Press, 1986), 226-48, 259-60; and Taewoo Kim's two-part treatment: "War against an Ambiguous Enemy: U.S. Air Force Bombing of South Korean Civilian Areas, June-September 1950," *Critical Asian Studies* 44, no. 2 (June 2012) and "Limited War, Unlimited Targets: U.S. Air Force Bombing of North Korea during the Korean War, 1950-1953," *Critical Asian Studies* 44, no.3 (September 2012). 朝鮮戦争で投下された爆弾の総トン数は資料によって異なる。カミングスは、第二次大戦中に太平洋戦域全体で用いられた爆弾五〇万三〇〇〇トンに対し、米軍が朝鮮に投下した爆弾のトン数は六三万五〇〇〇トン（その他にナパーム弾三万二五五七トン）と計算している。マリリン・ヤングは、朝鮮戦争で投下された爆弾の量が三八万六〇三七トン（その他にナパーム弾三万二三五七トン）で、空挺作戦でも用いられたあらゆる型の爆弾も含めると総トン数は六九万八〇〇〇トンにのぼると見積もっている。"Bombing Civilians: An American Tradition," *The Asia-Pacific Journal*, April 19, 2009 が www.japanfocus.org で閲覧できる。朝鮮戦争における爆撃がピークに達した時、米軍機は一日約一二五トンのナパーム弾を投下した——当初ナパーム弾の円筒は日本で作られた。"Napalm in War" entry at www.globalsecurity.org. ならびに Stockholm International Peace Research Institute, *Incendiary Weapons* (MIT Press, 1975), 43 を参照されたい。第二次大戦で英米合同軍が投下した爆弾の総トン数は二〇〇万トン強であり、そのうち六五万六四〇〇トンが太平洋戦域に投下された。日本の六〇以上の都市を焦土と化した米国の航空戦で投下された爆弾の総トン数は一六万八〇〇〇トン（太平洋戦域で使用された爆弾の二四％）であった（United States Strategic Bombing Survey, *Summary Report (Pacific War)*, July 1, 1946, 16を参照）。ベトナム・ラオス・カンボジアに対する航空戦で米軍が投下した爆弾の総トン数は七〇〇万トン以上にまで増大した。

＊14　吉田の初期の憲法第九条擁護論、および後の方針転換については、J. W. Dower, *Empire and Aftermath: Yoshida Shigeru and the Japanese Experience, 1878-1954* (Council on East Asian Studies, Harvard University, 1979)〔『吉田茂とその時代』上（１８７８～１９４５）・下（１９４５～１９５４）、ＴＢＳブリタニカ、一九八一年〕, 369-400を参照されたい。

＊15　たとえば、Department of State, *Foreign Relations of the United States, 1951. Asia and the Pacific*, vol. 6, part 1: 831を参照されたい。最終的な対日講和条約第一一条は「日本国は、極東国際軍事裁判所並びに日本国内及び国外の他の連合国戦争犯罪法廷の裁判の判決を受諾し……」と簡潔に規定し、日本政府は課された個々の判決を変更する前に、これらの法廷に関わった外国政府の許可を必要とする旨の但し書きが付された。

＊16　一九七二年と九八年の共同宣言の訳文は、外務省が公表した英語訳による。一九九八年の「平和と発展のための友好協力パートナーシップの構築に関する日中共同宣言」における謝罪箇所は、「日本側は……過去の一時期の中国への侵略によって中国国民に多大な災難と損害をあたえた責任を痛感し、これに対し深い反省を表明した」と書かれている。この一九九八年の宣言は、江沢民国家主席（当時）が訪日したさいに発表されたが、宣言の文言自体に日本の戦争責任のことが反映されていないことをめぐって、公の場での辛辣な応酬をともなった。Kazuo Sato, "The Japan-China Summit and Joint Declaration of 1998: A Watershed for Japan-China Relations in the 21st Century?",

CNAPS Working Paper Series, Center for Northeast Asian Policy Studies, Brookings Institute, 2000-2001; accessible at www.brookings.edu を参照されたい。

*17 「戦争の歴史」問題をめぐり、一九八〇年代以降に日中双方で辛辣な意見のやり取りが過熱したこと、また、これを政治が煽ったことは、前掲 He, *The Search for Reconciliation* の主要テーマであるので、同書を参照されたい。

*18 たとえば、一九五八年から六一年にかけて行われた「大躍進」がもたらした壊滅的な飢餓、一九六六年から七六年にかけて吹き荒れた破壊的な文化大革命、そして一九八九年の天安門事件、これらの話題はみな中国ではタブーである――教科書では黙殺され、インターネット上では検閲が行われ、最近改装された天安門広場にある中国国家博物館のようなところでの歴史展示は脚色されている。

*19 広島ならびに長崎への原爆投下をめぐる検閲については、John W. Dower, *Embracing Defeat: Japan in the Wake of World War II* (Norton & The New Press, 1999)〔『敗北を抱きしめて――第二次大戦後の日本人』上・下、岩波書店、二〇〇四年〕, 413-15, 620-21 を参照されたい。『アサヒグラフ』一九五二年八月六日号は、原爆を扱った最初の主要な写真誌である。

*20 米国が朝鮮戦争において原爆使用を考慮したことについては以下を参照されたい。Bruce Cumings, "Korea: Forgotten Nuclear Threats," *Le Monde Diplomatique*, December 8, 2004, accessible at http://mondediplo.com and reproduced as "Nuclear Threats Against North Korea: Consequences of the 'Forgotten' War," at www.japanfocus.org; also Cumings, "Why Did Truman Really Fire MacArthur? The Obscure History of Nuclear Weapons and the Korean War Provides an Answer," *History News Network* (George Mason University), January 10, 2005, accessible at http://hnn.us/articles/9245.html. また、Malcolm MacMillan Craig, "The Truman Administration and Non-use of the Atomic Bomb during the Korean War, June 1950 to January 1953" (M.A. thesis, Victoria University, New Zealand, 2009), accessible online at http://researcharchive.vuw.ac.nz/xmlui/handle/10063/1310をも参照されたい。

*21 「ハドソン湾作戦」は、Craig, "The Truman Administration and Non-use of the Atomic Bomb," 119-21で論じられている。

*22 衝撃的だったビキニ事件を扱った文献は膨大な数にのぼる。同事件を世界的な反核抗議運動の文脈に位置づけて俯瞰した研究として、ローレンス・S・ウィットナー（Lawrence S. Wittner）の *Resisting the Bomb: A History of the World Nuclear Disarmament Movement, 1954-1970* (Stanford University Press, 1997), vol. 2 of *The Struggle against the Bomb*, esp. 8-10, 42-43, 241-46, 321-24を参照されたい。ウィットナーはまた、ビキニ事件に対する米国高官の反応についても記しているが、そのなかには、第五福竜丸を「赤のスパイの一団」で、船長は「ロシア人に雇われていた」（これは原子力委員会のトップによる発言である）と断定する者あり、福竜丸が公式に通告されていた危険区域の外にいたことを否定する者あり、米国の行う核実験は概して「きわめて安全である」と強調する者あり、無線長〔久保山愛吉〕は日本政府が公にしたように「放射能症」ではなく肝炎で死亡と断言する者あり、という有様であった。駐日アメリカ大使は、ワシントンへの電文で、日本国民の激しい怒りを「抑えのきかない一時的なマゾヒズム」「殉難者気取りを楽しんでいるようだ」などと述べていた。

*23 Robert S. Norris, William M. Arkin, and William Burr, "Where They Were," *Bulletin of the*

Atomic Scientists, vol. 55, no.6 (November/December 1999), 26-35. キューバ・ミサイル危機にさいしての核兵器の動員については、John Mitchell, “‘Seconds Away from Midnight’: U.S. Nuclear Missile Pioneers on Okinawa Break Fifty Year Silence on a Hidden Nuclear Crisis of 1962,” *The Asia-Pacific Journal*, July 20, 2012; accessible at www.japanfocus.org を参照されたい。

*24 Norris, Arkin and Burr, “Where They Were.” ライシャワー発言は毎日新聞のインタビューに答えたもので、一九八一年五月一八日付同紙に掲載された。発言の英語版要約は “Nuclear ‘Lie’ Strains U.S. Ties,” *Time*, June 8, 1981 を参照されたい。ライシャワーは、一九六七年に「岩国の沖合、瀬戸内海にある海兵隊基地の舟艇のなかに核兵器があるのを発見した時」、大使を辞任すると迫った。ライシャワーの考えでは、核搭載艦船が日本の領水を通過するさいの正しい方法と全く異なっていたうえに、日本政府との了解に反することであった。ライシャワーは、一九八一年に、日本側との了解に反することを認めた当時の大騒ぎを「茶番」だったと考えていた。この点については、ライシャワーの回想録 *My Life between Japan and America* (Harper & Row, 1986)〔『ライシャワー自伝』文藝春秋、一九八七年〕, 249-51, 276-77, 280, 299, 346-47 を参照されたい。

*25 たとえば、Yuki Tanaka and Peter Kuznick, “Japan, the Atomic Bomb, and the ‘Peaceful Uses of Nuclear Power’,” *The Asia-Pacific Journal*, May 2, 2011; accessible at www.japanfocus.org を参照されたい。「擬似核保有国」という語は、日本における核開発に関するかなり長文の “Nuclear Weapons Program,” accessible at www.globalsecurity.org/wmd/world/japan/nuke.htm というタイトルの論稿に登場している。二〇一二年後半の時点で、日本が貯蔵する分離済みプルトニウムの総量は九〇〇〇〇キロで、「一〇〇〇〇発以上の核弾頭」を作るのに十分である（“Rokkasho and a Hard Place:

Japan's Nuclear Future," *The Economist*, November 10, 2012.)。Frank N. von Hippel and Masafumi Takubo, "Japan's Nuclear Mistake," *New York Times*, November 28, 2012 も参照されたい。原子力の民生利用計画から軍事利用計画への転換が容易なことについてはMatthew Fuhrmann, *Atomic Assistance: How "Atoms for Peace" Programs Cause Nuclear Insecurity* (Cornell University Press, 2012) が論じている。日本の場合については同論稿のpp. 221-25を参照されたい。

＊26 二つの引用は、いずれも一九五六年五月四日付米国務省内部メモ（DOS file number 711.5611/5-456）によるが、一九五〇年代半ばから、同様の外交メモが作成されたり、外交上のやり取りが行われることとなった。Wittner, *Resisting the Bomb*, 109, 116-17, 166-67, 388, 505n69, 514n17を参照されたい。こうした謝罪（と、それが促した庇護的な米国の「理解」）の例はDepartment of State, *Foreign Relations of the United States, 1955-57. Japan*, vol. 23, part 1: 495-98を参照されたい。同資料は、一九五七年九月にワシントンで行われたダレス国務長官と藤山愛一郎外相との会談についての報告である。この時藤山は、国連で核実験停止を求める演説を行った直後であった。藤山はこのダレスとの会談において、国連で述べたことを基本的には退ける機会を得ることになった。ダレス国務長官が要約したところによれば、藤山の弁解は次のようなものであった。「日本国民は、老いも若きも、この問題にとても敏感だ。それは単に共産主義者の問題ではない。日本政府は抗議を申し立てなければならない立場に置かれている。この問題の処置は保守政権の死命を決するものだ。日本人の心理状況によって、政府は軍縮、戦争放棄、平和の確立、核兵器の製造および使用に対する反対、こういった立場に賛同を余儀なくされているのだ」。これに対してダレスは次のような理解を示した。「日本政府は理性的というよりは感情的で特殊な問題を抱えている。これについてア

メリカ国民は、この問題を理性的に考えるが、他方日本人はこの問題を感情的に見ている。日本政府はそれも考慮に入れなければならないのだ」。

＊27 エリック・ジョンソン（Eric Johnson）の“Nuclear Pact Ensured Smooth Okinawa Reversion,” *Japan Times*, May 15, 2002は、米国で機密解除された一九五九年六月二〇日付の文書史料を引用している。

＊28 一九六〇年および一九六九年の密約に関する多くの英文資料がロバート・A・ワンプラー（Robert A. Wampler）によって収集され、ジョージ・ワシントン大学のナショナル・セキュリティ・アーカイブスによって、だいぶ異なる時期に公開された以下の二つのサイトで閲覧が可能となっている。すなわち、以下を参照されたい。

（1）“Revelations in Newly Released Documents about U.S. Nuclear Weapons and Okinawa Fuel NHK Documentary,” May 14, 1997, covering thirteen documents and accessible online at www.gwu.edu/~nsarchiv/japan/okinawa/okinawa.htm;

（2）“Nuclear Noh Drama: Tokyo, Washington and the Case of the Missing Nuclear Arrangements,” October 13, 2009, covering eleven documents and accessible at www.gwu.edu/~nsarchiv/nukevault/ebb291/index.htm.

（3）一九六九年一一月に佐藤首相とニクソン大統領とのあいだで交わされた密約は若泉敬が著した *The Best Course Available: A Personal Account of the Secret US-Japan Okinawa Reversion Negotiations*（University of Hawaii Press, 2002）で詳述されている。若泉は佐藤の密使であった。もともと若泉の同書は、日本で一九九四年に〔『他策ナカリシヲ信ゼムト欲ス』文藝春秋〕刊行された。密約の複写版が www.niraikanai.wwma.net/pages/archive/wakai.html で閲覧できる。密約の佐藤側の控えが二〇〇九年に佐藤の子息により発見され、二〇〇九年一二月二四日付の『朝日新聞』紙上にその内容が掲載された。

（4）北岡伸一による "The Secret Japan-US Security Pacts," in Research Group on the Japan-US Alliance, *In Search of a New Consensus: The Japan-US Alliance toward 2020* (Institute for International Policy Studies, December 2010), 15-27 も参照されたい。北岡は外務省による密約調査の有識者委員会の座長を務めたが、ある箇所で日本政府による「意図的な明確化の回避」に言及している。さらに北岡は、一九六九年一〇月に佐藤が「非核三原則は誤りだった」とこぼした発言も引用している。前記 Institute for International Policy Studies による研究の全文がインターネット上で閲覧可能である。

（5）ヘンリー・キッシンジャー (Henry Kissinger) は、ニクソンと佐藤の密約について（それを秘密と称することもなく）論じている。*The White House Years*, Little, Brown, and Company, 1979, 325-36, 1483.

*29 岸については Department of State, *Foreign Relations of the United States, 1955-1957. Japan*, vol. 23, part 1: 285 を参照されたい。岸の発言は、その前月に防衛庁長官が行った同様の発言に続くものであった。池田については Jon Mitchell, "Okinawa, Nuclear Weapons and 'Japan's Psychological Problem,'" *Japan Times*, July 8, 2010 を参照されたい。佐藤および他の日本側の核保有論については前掲 "Nuclear Weapons Program," at www.globalsecurity.org を参照されたい。核を用いた対中報復攻撃という佐藤の好戦的な発言は "The U.S. Nuclear Umbrella, Past and Future," a December

27, 2008, editorial by Hiroshima Peace Media Center, accessible at www.hiroshimapeacemedia.jp に引用されており、それらの原典は機密解除された外務省外交記録である。一九五〇年代後半から、ときおり米国の外交官や政策立案者たちは、日本が近い将来に核兵器を持つかもしれないと考えていた。その点については、たとえば以下を参照されたい。Department of State, *Foreign Relations of the United States, 1955-1957. Regulation of Agreements; Atomic Energy*, vol. 20: 276-77（一九五六年一月に国務省が統合参謀本部などと行った会談録を含む）; *Foreign Relations of the United States, 1958-1960. Japan; Korea*, vol. 18: 27（マッカーサーII世　駐日大使発一九五八年四月付電文）。

*30 「脱亜」という言葉は一八八五年の福澤諭吉による〔とされる〕有名な論説に由来する。明治期の西洋化、日清戦争、日露戦争を扱い、さらにイメージを豊かにするものとして、"Throwing Off Asia" at visualizingcultures.mit.edu という三部構成のインターネット資料を参照されたい。

*31 冷戦期に米国の政策立案者が日本に負わせた枢要な役割については以下を参照されたい。John Dower, "The Superdomino in Postwar Asia: Japan In and Out of the Pentagon Papers," in Noam Chomsky and Howard Zinn (ed.), *The Pentagon Papers: The Senator Gravel Edition*, vol. 5 (Beacon Press, 1972), 101-42.

*32 Department of State, *Foreign Relations of the United States, 1951. Asia and the Pacific*, vol. 6, part 1:825-26. もう少し詳しいダレスの発言では次のように説明されている。すなわち、日本人は「英国、その後には米国によって代表された西洋文明がある種の理性の勝利を代表し、それが国際社会におけるより良好な立場を米国と英国にあたえ、さらにその立場はアジア大陸の大衆に対して打ち立てられつつあると感じてきた。……日本人は自分たちもいくぶんかはアジアの大衆に対する

似通った理性の優越性を得たと考えている。そして日本人は欧米諸国民の側に属し、欧米諸国民に受け容れられたいと感じている。そのような感情を助長するために米国がなしうる一切のことが、日本人をわれわれにとっての友好的な協力者として繫ぎとめるための大きな吸引力として計算できるものである、と本官は考えている。中国大陸が経済という魅力ある手段を持つものとして現に〔日本の〕目前にあり、その経済という条件においておそらくわれわれは〔日本の希望に〕応えてやれないという事実があるにもかかわらず、である」。

*33 一九七二年二月のニクソン＝周会談に関する基本文書で機密解除されたものが William Burr, "Nixon's Trip to China," posted December 11, 2003 and accessible at www.gwu.edu/~nsarchiv としてナショナル・セキュリティ・アーカイブスで閲覧できる。キッシンジャーが一九七一年七月と一〇月に行った周との会談を要約してニクソンに伝えた二通の長文報告が前記サイトの注四から閲覧可能である。これらの機密解除文書にはごくわずかながら無害化処理が施されており、日本に関するいくつかの行と節が削除されている。

*34 和解の底流にある戦略的考慮は He, *The Search for Reconciliation,* 182-89 にまとめられている。蜜月という用語法は同書に拠る。

*35 日中二国間の四つの基本文書は以下のとおりである。(1)一九七二年九月二九日に発表された歴史的な「日中共同声明」は、日中間のそれまでの「不正常な状態」に終止符を打つことを宣言し、声明の後半で述べられている基本条項を確定するものであった。それらの条項で、日本は、「中華人民共和国政府が中国の唯一の合法政府である」ことを承認し、「台湾が中華人民共和国の領土の不可分の一部である」ことへの理解を表明し、その立場を尊重した。そして日中両政府は、国際連合憲

章に具現化された平和共存にコミットすることを宣言し、また、両国間に生じることのある一切の紛争に対しても「武力又は武力による威嚇に訴えない」ことを誓った。さらに日本は、過去において中国国民にあたえた「重大な損害」を反省し、これに対して中国は戦争賠償の請求権を放棄した。賠償については、一九五二年に中華民国が、一九六五年には韓国も請求権を放棄していた。(2)六年後の一九七八年八月一二日に結ばれた「日本国と中華人民共和国との間の平和友好条約」はきわめて簡略なもので、一九七二年の共同声明に示された諸原則が引き続き遵守されるべきことを宣した前文と、紋切り型の五つの条文からなる。(3)一九九八年一一月二六日——日中友好平和条約の調印から二〇年後、そしてソ連の崩壊ならびに冷戦の終焉から七年後にあたる——日中両国は「平和と発展のための友好協力パートナーシップの構築に関する日中共同宣言」という長いタイトルの取り決めを発表したが、同宣言には両国が協力することになる三三におよぶ領域を記したリストが付属していた。この宣言には、過去に日本が行った侵略の謝罪に加えて、核実験と核拡散への反対や「核兵器の究極的廃絶」の要請が盛り込まれていた。(4)四番目の共同声明——一〇年後の二〇〇八年五月七日に発表され、これまた「『戦略的互恵関係』の包括的推進に関する日中共同声明」という長いタイトルが付されている——は、日中双方が「互いに協力のパートナーであり、互いに脅威とならない」と強調することに意を用いていた。

＊36　たとえば、以下を参照されたい。Ronald O'Rourke, *China Naval Modernization: Implications for U.S. Naval Capabilities–Background and Issues for Congress*（Congressional Research Service, October 17, 2012); also Jianwei Wang, "Confidence-Building Measures and China-Japan Relations," February 2000 report to Stimson Center（Washington, D.C.), accessible at www.stimson.org.

*37 非対称という語の引用については Gerald L. Curtis, "U.S. Policy toward Japan from Nixon to Clinton: An Assessment," in Curtis (ed.), *New Perspectives on U.S.-Japan Relations* (Tokyo: Japan Center for International Exchange, 2000), 39-40 を参照されたい。この、一九七二年以降の日米関係を扱った四三頁の概説書はインターネット上で閲覧できる。ガバン・マコーマックは、次の著作で属国について詳述している。*Client State: Japan in the American Embrace* (Verso, 2007)〔『属国——米国の抱擁とアジアでの孤立』凱風社、二〇〇八年〕and, with Satoko Oka Norimatsu, *Resistant Islands.*〔乗松聡子との共著『沖縄の〈怒〉——日米への抵抗』法律文化社、二〇一三年〕なお、McCormack, "The Travails of a Client State: An Okinawan Angle on the 50th Anniversary of the US-Japan Treaty," *The Asia-Pacific Journal*, March 8, 2010; accessible at www.japanfocus.org は前二著の趣旨を簡潔にまとめたものである。

*38 パワー・シフト論は、とくにオーストラリア国立大学のヒュー・ホワイト (Hugh White) によって展開されている。手に取りやすいパワー・シフト論の論稿として、ホワイトの "Power Shift: Rethinking Australia's Place in the Asian Century," *Australian Journal of International Affairs* 65, no. 1 (February 2011), 81-93, esp. 82 を参照されたい。さらに議論を展開した研究書として、やはりホワイトの *The China Choice: Why America Should Share Power* (Australia: Black Inc., 2012) がある。ホワイトの議論はインターネット上でかなりの議論と論争を生んでいる。

*39 一九九一年に、鄧小平は同僚たちに対して、中国が国力を築きつつある間は米国との良好な関係を維持すべきだと助言した。この点については Andrew J. Nathan, "What China Wants: Bargaining with Beijing," *Foreign Affairs*, July/August 2011, 154 を参照されたい。

＊40 Henry A. Kissinger, "The Future of U.S.-Chinese Relations," *Foreign Affairs*, March/April 2012. この論稿はキッシンジャーの *On China* (Penguin Press, 2011) という著書（ペーパーバック版）の後書きを下敷きにしたものである。

＊41 二〇一二年一二月、中国の新指導者となった習近平は、総書記就任後の最初の公式行事の一つとして弾道ミサイルならびに巡航ミサイルの任務にあたる核兵器部隊（第二砲兵部隊）党代表大会代表と面会し、同部隊を「我が国の戦略抑止の中核兵力であり、……大国の地位にある我が国の戦略的支柱であり、我が国の安全を保障する重要な基礎である」と讃えた（Jane Perlez, "New Chinese Leader Meets Military Nuclear Officers," *New York Times*, December 5, 2012)。

＊42 精密誘導兵器における革命を概観し、中国のＡ２／ＡＤ能力を分析したものに Andrew F. Krepinevich, *Why AirSea Battle?* (Center for Strategic and Budgetary Assessments, 2010) がある。高性能化された中国の弾道ミサイルがこれまで「実質的に無敵」を誇った米太平洋空母艦隊を脅やかしているという脅威は、ＡＰ通信のエリック・タルマッジ（Eric Talmadge）によって広く配信された "Dong Feng 21D, Chinese Missile, Could Shift Pacific Power Balance," *Huffington Post*, August 5, 2010 という記事に典型的に表明されている。現在の軍事用語を抽出した手頃な論稿として "China's Military Rise," *The Economist*, April 7, 2012 を参照されたい。

＊43 こうした好戦的なレトリックの多くは経済および金融問題に焦点をあてている。その広がりぶりは、インターネット上で "China threats〔中国の脅威〕," "containment of China〔中国封じ込め〕," "Cold War with China〔中国との冷戦〕" などの語句を検索すると膨大に表示されることから理解できる。いくつかの文献がインターネット上での論評を惹起したが、たとえば以下を参照されたい。Aaron

L. Friedberg, *A Contest for Supremacy: China, America, and the Struggle for Mastery in Asia* (Norton, 2011); Peter Navarro, *The Coming China Wars: Where They Will Be Fought and How They Can Be Won* (FT [Financial Times] Press, 2006; revised and enlarged in 2008); and Greg Autry, *Death by China: Confronting the Dragon – A Global Call to Action* (Pearson Prentice Hall, 2011). *Death by China* は同名の長編ドキュメンタリー映画の原作となった。中国叩きは二〇一二年の大統領選挙中に激しさを増した（"The China-bashing Syndrome," *The Economist*, July 14, 2012.）。二〇一二年五月二日に『ニューヨーク・タイムズ』紙は "Are We Headed for a Cold War with China?"（米国は中国との冷戦へ向かっているのか？）という見出しの論集を掲載した。

＊44　ＡＳＢ事務局が二〇一一年一一月九日および一〇日に行った報道発表 "Multi-Service Office to Advance Air-Sea Battle Concept" および "The Air-Sea Battle Concept Summary" を参照されたい。ＡＳＢ事務局とつながりのある二人の将校がＡＳＢ構想を簡略に説明したものに Navy Captain Philip Dupree and Air Force Colonel Jordan Thomas, "Air-Sea Battle: Clearing the Fog," *Armed Forces Journal*, May 2012; accessible at www.armedforcesjournal.com がある。二〇一二年一月に国防総省が発表した *Sustaining U.S. Global Leadership: Priorities for 21st Century Defense* は、中国、イランを挙げて「非対称な挑戦」に言及し、これらの地域における任務を「よって、米軍は接近阻止および区域拒否Ａ２／ＡＤ環境において効果的に作戦を遂行する能力を確保するための任に就く」と強調している。

＊45　中国は、二〇〇一年に次期ブッシュ政権によって台頭しつつある問題として標的にされたが、九月一一日のテロ攻撃以後は同政権が「テロとの戦争」に集中したため、対象から外された。中国を第

一の標的とするＡＳＢ構想は、長らくペンタゴンのインターネット評価事務局（Office of Net Assessment）のトップを務めたアンドルー・マーシャル（Andrew Marshall）に帰すことができる。現在、同事務局はペンタゴンが後援するシンク・タンクである戦略・予算評価センター（Center for Strategic and Budgetary Assessment＝ＣＳＢＡ）と連携関係を有する。この点は、Greg Jaffe, "U.S. Model for a Future War Fans Tensions with China and inside Pentagon," *Washington Post*, August 1, 2012 を参照されたい。同記事には、Ａ２／ＡＤが争われる境界となる「内部」および「外郭」列島線（"inner" and "outer" island chains）が図示されている。ＣＳＢＡの報告書は Krepinevich, *Why AirSea Battle?* および Jan van Tol et al., "AirSea Battle: A Point-of-Departure Operational Concept," May 18, 2010, accessible at www.csbaonline.org を参照されたい。前者には中国を扱った章ならびにイランを扱った章があるが、米国の戦力投入にとっては中国のほうがはるかに大きな脅威であると強調している。同書でも「第一」および「第二」列島線が図示されている。エア・シー・バトルは、ベトナム戦争以後、ソ連の脅威に対抗するために導入された「エア・ランド・バトル」概念からの方針転換を示している。

＊46 Department of Defense, *Joint Operational Access Concept (JOAC)*, Version 1.0, January 17, 2012. Army Capabilities Integration Center, U.S. Army & Marine Corps Combat Development Command, U.S. Marine Corps, *Gaining and Maintaining Access: An Army-Marine Corps Concept*, March 2012. 簡潔に要約したものとして、ラジャラトナム国際関係研究大学院（Rajaratnam School of International Studies in Singapore）のマイケル・ラスカ（Michael Raska）による"Air-Sea Battle Debate: Operational Consequences and Allied Concerns," *Defense News*, October 30, 2012;

accessible at www.defensenews.com などのサイトを参照されたい。長距離爆撃機ならびにグローバル・ホーク無人偵察機のアジア太平洋地域への移駐については Tom Shanker, "Panetta Set to Discuss U.S. Shift in Asia Trip," *New York Times*, September 13, 2012 を参照されたい。

*47 「旋回」("pivot") という言葉を報道担当者は用いたが、オバマ大統領自身がアジア歴訪中に「旋回」という言葉を使ったことはない。公式な表現については "Remarks by President Obama to the Australian Parliament," November 17, 2011, accessible at the White House web site (www.whitehouse.gov) および Hillary Clinton, "America's Pacific Century," *Foreign Policy*, November 2011 ならびに Department of Defense, *Sustaining U.S. Global Leadership: Priorities for 21st Century Defense*, January 2012 を参照されたい。政府関係以外の者による詳細な分析としては以下がある。Kenneth Lieberthal, "The American Pivot to Asia: Why President Obama's Turn to the East Is Easier Said than Done," *Foreign Policy*, December 21, 2011; Mark E. Manyin et al., *Pivot to the Pacific? The Obama Administration's "Rebalancing" Toward Asia*, Congressional Research Service, March 2012; David J. Berteau and Michael J. Green, *U.S. Force Posture in the Asia Pacific Region: An Independent Assessment*, Center for Strategic and International Studies, August 2012; and Michael D. Swaine et al., *China's Military & the U.S. Japan Alliance in 2030*, Carnegie Endowment for International Peace, May 2013.

*48 Masaki Toki, "Missile Defense in Japan," *Bulletin of the Atomic Scientists*, January 16, 2009. 首相官邸「平成一七年度以降に係る防衛計画の大綱」二〇一四年一二月一〇日。この大綱のなかで、「この地域の安全保障に大きな影響力を有する中国は、核・ミサイル戦力や海・空軍力の近代化を推進

するとともに、海洋における活動範囲の拡大などを図っており、このような動向には今後も注目していく必要がある」と言及されていた。この大綱は、日本政府がほとんど同じ内容の翻訳を公表している。「宇宙基本法」は、二〇〇八年八月に、防衛目的での宇宙使用が可能となるよう改定された。

＊49 二〇一〇年一二月一七日、閣議決定・安全保障会議決定「平成二三年度以降に係る防衛計画の大綱」(防衛省のウェブサイト www.mod.go.jp で閲覧可能)。

＊50 一九六七年および一九七六年の武器輸出制限政策については、一九九六年に日本政府が国連に提出した *Japan's Policies on the Control of Arms Exports* という標題の報告書を参照されたい(国連のウェブサイト www.un.org および外務省のウェブサイト www.mofa.go.jp で閲覧可能)。同報告書によれば、一九八三年に米国へ軍事技術の移転を行うための例外措置が設けられ、これによって戦闘機およびミサイル防衛システム製造に先鞭がつけられた。小型武器および共用需品(dual-use goods)を含む他の例外についてはRobin Ballantyne, "Japan's Hidden Arms Trade," *Asia Times*, December 1, 2005を参照されたい。また、二〇一二年に発表されたミサイル防衛システムについては以下を参照されたい。Thom Shanker and Ian Johnson, "U.S. Accord with Japan over Missile Defense Draws Criticism in China," *New York Times*, September 17, 2012; Chester Dawson, "Japan Shows Off Its Missile-Defense System," *Wall Street Journal*, December 8, 2012.

＊51 「アジアの調和」は、ヒュー・ホワイトが二〇一二年に *The China Choice* を上梓したのち、広く引用されている論評において展開している概念である。また、「太平洋共同体」についてはKissinger, "The Future of U.S.-China Relations." を参照されたい。「太平洋による平和」という考え方はオー

ストラリア外相ケヴィン・ラッド（Kevin Rudd）のような論者によって推進されたのだが、これについては、たとえば、二〇一二年一月一三日にニューヨークのアジア協会で行われた講演の要約である“Rudd: Asia Needs 'Pax Pacifica' as China Rises”を参照されたい。

＊52 ASEAN（Association of Southeast Asian Nations＝東南アジア諸国連合）は、一九六七年に小規模な地域組織として発足し、一九九七年には日本・中国・韓国を加えた一三の国々からなる「ASEAN＋3」という枠組みになり、さらに二〇一〇年にはオーストラリア・インド・ニュージーランド・ロシア・米国を加えた「ASEAN＋8」に拡大した。現在二一の環太平洋「エコノミー」が参加するAPEC（Asia-Pacific Economic Cooperation＝アジア太平洋経済協力）は一九八九年に創設され、一九九三年に初の会合を開いた。また、EAS（The East Asia Summit＝東アジア首脳会議）が二〇〇五年に発足し、二〇一一年にはロシアと米国が加わり、加盟国は日本・インド・中国を含む一八カ国となっている。

第二章　属国——問題は「辺境」にあり

ガバン・マコーマック〔吉永ふさ子　訳〕

1　サンフランシスコ体制が生んだ「根本的問題」

一九五〇年代初期からアジア太平洋地域の戦略体制と言えば、サンフランシスコ体制と米軍支配のかたちに決まっていたが、前章でも論じられたように、近年その転換期に入った兆しが見え始めている。サンフランシスコ体制の産物である戦後日本という国家は、六〇年以上をへて、いわば米国の「属国」になってしまった。日本という国家自体が、サンフランシスコ体制を乗り越えるための重大な障害ともなっている。だが、沖縄も含めた東シナ海周辺において、現在、サンフランシスコ体制の矛盾が顕在化し始め、と同時に、それに代わるものがかすかに現れつつある。

この章では、東シナ海で現在顕在化しているサンフランシスコ体制の矛盾を見ていく。その前にまず、今日の東アジアの状況を招いた「根本的問題」としてのサンフランシスコ体制をとらえ、そこから現在までの日米「同盟」のあり方を問うていきたい。

ダレスの言った「根本的問題」

一九五一年初頭、トルーマン大統領の特使、ジョン・フォスター・ダレスは講和の細目を検討するため来日した。ダレスの対日要求は、明快であった。

「我々は日本に、我々が望むだけの軍隊を望む場所に望む期間だけ駐留させる権利を獲得できるであろうか？　これが根本的問題である」[*1]

吉田茂首相は講和条約発効後も米軍が日本に残ることに、もともとは反対であった。[*2]しかし、「基地問題をめぐる最近の誤った論争」[*3]と昭和天皇に非難され、次第に方向を変えた。ダレスの要求は満たされ、米軍駐留はいまだに続いている。

ダレスの言う「根本的問題」への回答は、日本駐留の権利だけではなく、実際に沖縄（琉球）を分離し、米国の排他的戦略的支配下に置くことであった。皮肉なことに米軍駐留と沖縄分離支配は、総理大臣の意見ではなく、かつて皇軍の大元帥であった昭和天皇の意志にそって進められたのである。

「君主」（the head of the state）を残すというマッカーサー将軍の主張により、[*4]一九四七年の憲法で「象徴」となった天皇は、講和条約発効後も米軍駐留を維持するという米国の後押しをした。天皇はマッカーサーに対し、「アングロサクソンの代表者である米国がそのイニシアチブを執ることを要する」から、そのために「二五年から五〇年、あるいはそれ以上にわたる長期の貸与（リース）というフィクション」のもとで、沖縄の米軍占領を要請した[*5]。

対日講和条約と日米安全保障条約は、サンフランシスコで一九五一年九月に調印され、その六カ月後の一九五二年四月二八日、「日米行政協定」も含めたものが、サンフランシスコ講和条約として発効した。それは激動の終戦期と六年の米軍占領の後、戦勝国が敗戦国に押しつけた取り決めであった。日本の侵略戦争と植民地主義に一番苦しめられた中国と南北朝鮮は、講和会議から除外された。ソビエトは、会議には出席したものの協定調印は拒否した。サンフランシスコ条約は部分的講和であった。

日本は独立国とは名のみで、実質的には独自の外交も防衛も許されず、経済や社会政策決定の権限も限られた「信託統治」領であった。日本本土にも講和は重くのしかかったが、何よりも沖縄は、（米軍政府は「琉球」という言葉を使用）「太平洋の要石[*6]」として、米国に軍事占領され続けて、その後さんざんな目にあったのである。

「占領軍」から「安保の軍隊」へ

初めから様々な欠陥を抱えたサンフランシスコ体制がここまで長続きしたのは驚きである。米駐留軍に関する規定は日本側を憤慨させ、一九五一年九月八日朝にオペラハウスで行われたサンフランシスコ条約調印式に派遣された使節団六人の中で、その日の午後、陸軍第六軍の下士官クラブで行われた安全保障条約の調印に出席したのは吉田一人であった。[*7] 安全保障条約によって、日本は、米国が「陸軍、空軍及び海軍を日本国内及びその附近に配備する権利」を認め、米軍は「極東における国際の平和と安全の維持に寄与し、……日本国における大規模の内乱及び騒じょうを鎮圧するため日本国政府の明示の要請に応じて与えられる援助を含めて、外部からの武力攻撃に対する日本国の安全に寄与するために」武器を使用する権利を有するのであった。

かつて外務次官を務めた寺崎太郎外務次官は自伝の中で、「時間的には、講和条約─安保条約─行政協定の順でできた。だが、それが持つ真の意義は、まさに逆で、行政協定のための安保条約、安保条約のための平和条約でしかなかったことは、今日までに明らかになっている」[*8]と記した。行政協定はほとんど注目を浴びることはなかったが、一九五一年にダレスが主張した、細かい米国の権利がはっきりと記されている。今日に至るまで、米国の権利そのものは修正されていない。こうして、同盟の性格は少々変わりながらも正当化されてきたが、米国による日本の占領はいまだ終わってはいない。一九五二年四月二八日まで「占領軍」であったものが、それ以後同じ基地にいて同じことをしても、それは安保条約に基づく軍隊になったのである。奄美諸島は一九五三年に、琉球諸島は一九七二年に沖縄という名前と共に施政権が日本に移されたが、多くの点でサンフランシスコ体制の枠組みは本質的にはそのまま残された。その体制は、地政学的にも経済的にも日本に有益だとされ、その正当性についてはほとんど問題にならなかったのである。

サンフランシスコ条約発効三年後の一九五五年、日本の国内政治は米国指導下で米国に従属的な体制に落ち着いた。いわゆる「一九五五年体制」が自由民主党のもとで発足したのである。自民党には結成時からCIAの政治資金が流れつづけており、米国という庇護者の性格や体質を受け継いでいると言われる。[*9] 一九五九年一二月の砂川事件の判決において、最高裁大法廷裁判長は、安保条約に関係する訴訟は「高度に政治的」であり、日本国家存立の基盤に関わるものであるから、司法の対象にはならない、という判断を示した。まさに安保条約を憲法の上に置き、法律上の訴追から免除したのであった。米軍基地はこうして確固とした地盤を築き、砂川事件判決から一カ月経った一九六〇年一月、安保条約改定の道を開いたのである。[*10]

一般に「安保」と呼ばれる日米の相互協力と安全保障に関する取り決めは、米軍基地の存続と冷戦体制における日本の従属的役割を正式に承認するものであった。[*11] 一九六〇年五月二〇日の未明、衆議院で野党不在のあいだに、安保条約案は強行採決された。騒乱状態の最中、日本国民の反感をより一層煽ることは必至であるため、アイゼンハワー大統領は来日を取りやめ、岸信介首相は直ちに辞任した。いらい、この一九六〇年の「大政治危機」の記憶を日米政府は忘れられず、国会や公の場で日米関係を論議、検討することを極力避けてきた。安保関係はこうして、最高裁判例に守られ、憲法上の訴追の心配もなく、世論や国会の論議からも遠ざけられ、新安保条約批准《ひじゅん》から一〇年が過ぎた一九七〇年代に入ると、より強力になっていったのである。

軍事面だけにとどまらない「従属」

サンフランシスコ講和後の六〇年のあいだに、日本は国力も経済も非常に大きく成長したが、この経済的超大国の中に、いまも戦勝国の占領がはっきりと目に見えるかたちで残っている。横須賀は第七艦隊の母港で、佐世保は米海軍の日本における第二の重要施設である。青森県三沢と沖縄県嘉手納《かでな》は米空軍の主要基地であり、海兵隊は沖縄県に、キャンプ・キンザー、キャンプ瑞慶覧《ずけらん》、普天間基地、キャンプ・シュワブを持ち、そして山口県岩国にも基地がある。東京上空は横田基地の米空軍が支配する。日本中に住宅、病院、ホテル、学校、ゴルフコース（東京周辺だけでも二つ）など様々な米軍用施設が日本政府の莫大な補助金でまかなわれている。守屋《もりや》武昌《たけまさ》元防衛事務次官が述べたように「同盟とは名ばかりで実体はない」「現実には米国が一方的に決定する」[*12]だけのものだった。建前は日本を守るためであるが、それは米国の防衛と国益拡大のためだと解釈した方が正しい。ある軍事専門家は「戦略基地として日本列島はハワイから喜望峰まで、地球の半分をカバーしている。米国が同盟国としての日本を失えば、超大国として世界の指導的地位にはとどまれない」[*13]とまで言い切る。

安保条約の目的は「極東における国際の平和と安全の維持に寄与する」「国際紛争を平和的手段によって（中略）解決し（中略）武力による威嚇《いかく》または武力の行使を、（中略）いかなる国の領土保全または政治的独立に対するものも（中略）慎《つつし》む」という言葉にもかかわらず、現実にはアジアやアフリカの国々から日本を含む「極東」にいたるまで、何ら脅威がない場合でも、戦争を実践し、戦争への脅威を高めるための国際協定となっている。

「従属」は軍事戦略上の問題にとどまらない。米国は毎年詳細な年次要望書を日本に送り、米国の利益にとって「障害」となるものを取り除くように指示する。そのようなことは日本以外の国との関係では考えられない。一九八九年の日米構造（障壁）協議で出された米国から日本への要求は、予算、税制、株式保有規定、土曜日は休日とするべきにいたるまで、二〇〇項目にわたっていた。ある政府関係者は「第二の占領に等しい」[*14]と表現した。一九八九年、海部俊樹政権は、米国の要望に沿って向こう一〇年で四三〇兆円を大規模公共事業に充《あ》てることを決定した。一九九四年の村山富市政権の時には、それは六三〇兆円に膨れ上がった。国家財政にとっても地方財政にとっても、破滅的政策であることが、次第に明白になっていった。

一九八九年から九二年まで駐米大使を務めた村田良平は、一九八九年から九〇年まで計五回開催された日米構造（障壁）協議の重点は、米国の銀行や保険会社が、日本の金融部門を買収、合併することを容易にする「システムチェンジ」を要求するものであった、と説明する。[*15] 日本は米国の要求を「属国根性」で、ただ単に受け入れる傾向があるというのだ。鳩山由紀夫首相（二〇〇九〜一〇）の下で、それは一旦中断したが、二〇一一年からまた米国追随路線に戻り、二〇一二年一二月に安倍晋三首相になるとさらに熱心になった。[*16] アメリカは安倍政権に対し、日本に多面的変革を強いてTPP参加を要求し、集中的圧力をかけている。

「対米追従」か「自主独立」か――相克の七〇年間

元外務省国際情報局局長であった孫崎享《まごさきうける》は、戦後七〇年の日本の歴史を、米軍基地の縮小あるいは撤去とアジア諸国とのより密接な関係を求める「日本自立路線派」と、「単に米国の指示に従う対米追従派」の二つの路線のせめぎ合いという観点から説明する。孫崎は、「対米追従派」は次第に優勢になり、歴代の政府や指導者層に踏襲されたと見る。

一九四五年いらい、「自立路線」を採用した八人の総理たちの政権は、ワシントンの指示あるいは圧力で排斥されたが、「追従派」は長く政権の座に残り、成功し、より大きな足跡を政治に残したという。[*17]

二〇〇四年、「属国」という言葉を後藤田正晴元官房長官が使った時、この言葉にはタブーの響きがあり、当時はまだ衝撃的であった。[*18] 二〇〇七年、私の本のタイトルに「属国」が使われた時にも、一般には極端だと受け止める声が多かった（邦訳は翌年）。だが、二〇一〇年ごろになると、「日本は属国だ」と言っても、ショックを受けるような反応は見られなくなった。それは、より客観的に日米関係を評価する傾向が出てきたためなのだろうか、それとも対米従属が、隠すことも言い繕《つくろ》うこともできないほど重症になっているためだろうか。孫崎は、安倍晋三総理を「奴隷根性」の最たるものと言う。[*19] 鳩山元首相は二〇一三年、「米国依存症がさらに強まった感すらいたします」[*20] と記している。

日本の政官界における属国性が、あまりにも深く強靱《きょうじん》であるため、自主性と独立を回復する機会が訪れるたびに、それとは逆のコースを選ぶ傾向が見られる。一九五九〜六〇、一九六九〜七二、一九九〇〜九四、二〇〇九〜一一年の四つの時期がその例だ。特に冷戦後の一九九〇年以降は、自主路線政策が早々と立ち消えになっただけではなく、軍事体制を中心に日米の協力が着々と進み、軍事同盟は「極東」の範囲を超え、世界的な枠組みへと格上げされ、米国追従は一層強まったのである。

細川護熙政権（一九九三〜九四）の依頼した報告書「樋口レポート」は、日米関係とサンフランシスコ体制について再交渉することを通して日本の自主性を大きく高めることを推薦した内容であった。[*21] それに対し、クリントン大統領は日本への対応について諮問《しもん》し、樋口レポートとは全く正反対の報告を得た。それが「ナイ・レポート」である。ハーバード大のジョセフ・ナイは、日本と韓国は米国の政策構想をもっと重視すべきであり、将来一〇万人の米軍が極東に駐留するべきだと勧告した。それいらい二〇年、歴代の米政権は民主党であれ共和党であれ、ナイ・レポート方式を基本的に固持してきた。米国使節が次々と東京に行き、日本に期待される役割はこれだ、あれだと指示したのである。イラクに派兵しろ、米国の戦争を外交的にも財政的にも支援しろ、そして最近は「中国封じ込め」と国境近くの南西諸島の段階的軍事化を実施しろ、といったことなどである。

しかし、この日本への主権侵害を侮辱だと腹を立てる人々は少ない。世論調査によれば、八〇％以上の大多数の人が安保同盟、つまりサンフランシスコ体制を受け入れ、廃止あるいは抜本的改正を求めるのは、ほんの少数である。[*22]

二〇一二年の衆議院選挙の時、主要政党は同盟に基づく日米関係を強化、深化させることで一致していた。しかし、沖縄だけははっきりと違った。沖縄では、安保体制支持は約一〇%で、九〇%は日米政府が合意した取り決めを沖縄に強制することに反対であった。在日米軍の四分の三が沖縄に駐留し、新基地の建設予定地もある。安保同盟支持率が最低の地方にもっとも重い負担を課し、沖縄県民の基地負担軽減という切実な要求に何ら応えてこなかったことから、安保同盟の最大の課題は沖縄にある。沖縄はサンフランシスコ体制のアキレス腱と言えるだろう。

自分たちが被害者であるから、沖縄の人々は体制の不公平さには特に敏感だ。「沖縄問題」は実際、「日本問題」であり、「米国問題」であり、次に述べるように「サンフランシスコ体制問題」である。

サンフランシスコ体制の病状は、東シナ海の島々にも広がっている。半世紀以上ものあいだ、沖縄本島の周辺における米軍の存在はきわめて大きかったが、二〇一三年現在、沖縄本島から与那国《よなぐに》までの南西の方向に軍事施設は設けられていない。軍に守られず、脅威ともならない島々は冷戦期間中、平和で安全だった。しかしこれらの島々を、中国を包囲するための「防壁」に想定した日米の新計画によって、島の性格は大きく変わる可能性がある。新構想では、二四万人の自衛隊を米国が率いる東アジア軍に一体化させる。そこでの鍵は、戦術、戦略、後方支援業務、訓練など、すべての面における相互運用性にある。

中国の台頭によって揺らぐサンフランシスコ体制

サンフランシスコ体制は、六〇年以上東アジアの変容を支えてきた。体制の擁護者たちは、地域の発展と繁栄はそのおかげだったと言うが、二〇一三年の世界のGDPランキングで第二位の中国と第一五位の韓国は、講和条約に入っていない。終戦から七〇年近く経って、日本にいまだ外国軍が駐留していることは摩訶《まか》不思議としか言えない。

二〇一三年までには、サンフランシスコ講和条約に関係した国々はすべて、中国を主要な経済的パートナーとしている。日本政府が尖閣諸島領有宣言の根拠としているのは、尖閣諸島がサンフランシスコ講和条約第三条に基づいて「北緯二九度以南の南西諸島」の一部として米国の施政下に置かれ、一九七二年の沖縄返還によって日本に施政権が移ったということだが、中国は「違法であり法的効力はない」[*23]と宣言した。

中国はその絶対的経済力で、世界の資源を買い占め、東シナ海や南シナ海で領土を拡張する意図があると国際社会から思われている。それは正しい評価だろうか。

世界の大国が当然の権利だと考えている、海洋の利益を保護するための強力な海軍力を誇示したいと、中国が望んでいるのは言うまでもない。しかし、係争問題がなく、自由にアクセスできる太平洋への通路が限られているため、中国は、非常に不利な立場にいる。中国から見ると、太平洋への出入口が、北は樺太と北海道のあいだの宗谷海峡、あるいは北海道と本州のあいだの津軽海峡、南は鹿児島と種子島の間の大隅海峡と、沖縄本島と宮古島の間の宮古海峡、あとは、さらに南に下がった台湾とフィリピンの間のバシー海峡に限られている。

日本は、中国海軍が近海、特に大隅海峡と宮古海峡を通過することを快く思わない。中国の目には日本が支配する長く延びる列島は、まるで万里の長城の海洋版に見える。また、今まで何もなかった南西諸島に軍を配備する動きは、中国として気にならないはずはない。

中国海軍が東シナ海の沿岸から出て、太平洋から最終的には世界の外洋へと活動する兆しを見せ始めているなか、日本は対応を迫られている。サンフランシスコ体制に則《のっと》った軍事戦略上の感覚のままに、日本は中国の動きに抵抗し、冷戦時にソ連の海軍を封じ込めようとした時と同じように動くのだろう。

それに代わるビジョンはなかなか見えてこない。日本にとって、サンフランシスコ体制を乗り越え、平和と協力の関係を中国と構築することは難題である。地域間の経済、文化交流が盛んになっても、地域共通の歴史、アイデンティティ、目標は見えない。また日中が対等につきあった歴史体験もない。

日本は、六六三年に白村江（現錦江河口付近）で、倭国と百済遺民の連合軍が唐、新羅の連合軍に敗れていらい[24]、一〇〇〇年以上中国に警戒心をもって接してきた。常に大陸からの侵攻におびえながら、中華の世界秩序に組み込まれないよう、注意深く距離を置き、独立を維持してきた。例外的に、一六世紀には豊臣秀吉が、二〇世紀には皇軍が中国大陸制覇に乗り出したこともあった。

およそ一三〇〇年以上ものあいだ、大国の従属国となることに抵抗してきた日本が、この六、七〇年ほどのあいだに、海の彼方の米国に対し、喜んで「属国」の役割を担うようになったのは、なんという歴史の皮肉だろう。

米国のASBと「太平洋回帰」構想

中国を意識して、米国が海軍の六〇％、六隻の空母、「大多数の巡洋艦、護衛駆逐艦、警備艇、潜水艦」を二〇二〇年までに太平洋地域に集中配備する動きを示している[25]。米国は中国よりはるかに大きい軍事予算を持ち（ＧＤＰの四・七％、中国はＧＤＰの約二％[26]）、また、米軍は同盟国である台湾、日本、韓国軍によって大幅に補強されている。

中国は改装したウクライナ製の中古空母を一隻保有し、完全に防御用だと主張するが、相当高度な潜水艦とミサイル能力も保有する。中国の軍事予算は過去一三年間に六倍になったが、米国の予算は縮小しつつある[27]。そのため、米国の防衛政策立案者たちは、中国は二段構えの防衛線を設定しており、われわれは中国の脅威に対応しているだけであると主張する。第一列島線は沖縄諸島、台湾とフィリピンを通る線で、黄海、東海（日本海）、東シナ海、中国「近海」を想定したものだ。敵対的事情で、この第一列島線にアクセス不能の場合に備えて、小笠原諸島、マリアナ群島、パラオ、インドネシアに囲まれる第二列島線を想定、中国はその中にかなりの海軍力を増強しつつあり、いずれ（二〇五〇年ぐらいまでに）海軍の実戦能力を「遠洋」まで広げる構想であるとされる。つまり、第二の米国海軍のようになるだろうと想定したのである。[*28]

中国のそのような野心を妨害しようと、米国は二〇一〇年から「エア・シー・バトル」（ASB）構想を、二〇一一年からは「太平洋回帰」構想を進めている。ASB構想下では米国のヘゲモニーを地球的規模で維持するため、陸、海、空、宇宙空間、およびサイバースペースをすべて組織することを目指す。また「太平洋回帰」構想では、世界戦略の焦点を、中東およびアフリカから次第に東アジアに移し、中国を排除した経済ブロックを形成するだけではなく、軍事的にも中国包囲の安全保障体制をとることになっている。

宮古、八重山《やえやま》諸島（与那国《よなぐに》島、西表島、石垣島）は中国の第一列島線に沿うかたちになり、（公海であるが、日本の排他的経済水域でもある）宮古海峡は、中国海軍にとって太平洋の出入口として非常に重要な通路である。沖縄の人々は、有事の場合、また沖縄が最前線に立つことになることを見て取る。一九四五年の悲劇の記憶はまだ生きている。

ここまで、サンフランシスコ体制によって型にはめられた日米関係が、その後何度となく形を変えてきたことを取り上げてきた。次節からは、沖縄と東シナ海の国境の島々を取りまく特殊性を考える。

サンフランシスコ条約調印の結果は、真っ先に、そして最大の規模で沖縄を直撃した。ここは、今日、変化への要求がもっともはっきり表れているところである。次に東シナ海の島々、北は鹿児島に近い馬毛島《まげしま》から日本最西端の与那国島、そして尖閣諸島に焦点を当てる。また、沖縄の市民社会がサンフランシスコ体制を維持、強化しようとする政府側の力に抵抗し、体制を縮小あるいはいずれ完全に変えようと争っているが、世界の超大国である米国と日本がその動きを潰そうとしている現状について再考する。

2 沖縄——ないがしろにされつづける民意

沖縄の歴史が持つ多様な経験

鹿児島の南、中国との国境沿いに、大隅、奄美、沖縄、先島諸島が東シナ海と太平洋を分けるように一〇〇〇キロ以上の長い鎖状に連なる。同じ沖縄県でも、人口も面積も最大の沖縄本島から、南西の先端の先島諸島までは相当の距離がある。先島諸島の一部である八重山諸島は、石垣島、西表島、与那国島を含む。日本政府は尖閣諸島（中国名：釣魚島およびその附属島嶼）も八重山諸島の一部だと主張するが、尖閣諸島は沖縄トラフの外側（中国側）に位置する。

これらの島々は一九世紀、最後に日本領土に併合されたところである。琉球王国は一三七二年から一八七九年まで長いあいだ、明、清国と友好関係があった。一六〇九年に薩摩の島津氏によって奄美諸島は薩摩に併合され、中国の冊封《さくほう》を受けていた琉球王国は半ば薩摩の支配下に置かれた。薩摩の徹底的圧政と搾取に苦しめられたが、対外貿易の利益もあり、米国（一八五四）、フランス（一八五五）、オランダ（一八五九）と通商協定を結ぶなど、近代前夜まで独立国の体裁は守り続けた。一八七九年、日本政府は、琉球王国を廃し、沖縄県として強制併合したのである。[*1]

一九五二年、沖縄はサンフランシスコ講和条約によって本土と切り離され、米軍の占領政策が続いた後、一九七二年、米軍基地の重荷を背負ったまま日本に復帰した。二〇一三年に中国が沖縄の帰属は未解決だと言い出し、歴史上の不都合な事実が改めて注目されるようになった。

小笠原諸島を例外として、[*2]沖縄が日本のどことも違っているのは、強制的あるいは自発的な歴史体験の中で、言葉も国旗も、アイデンティティも、複数の経験を持つ点である。琉球王国の船がアジア地域に活躍した時代の記憶は語り継がれ、人々はアジアに親近感を持つ。一九四五年の地上戦を経験し、広島に匹敵する壊滅的惨劇の記憶が焼き付いている。沖縄の独特さは、本土では見られないこのような経験に裏打ちされているのだ。人々は憲法で保障された自主性を主張しており、そこでは、友好的な日中関係や東アジア共同体を焦点にした脱国民国家の種子が根づく可能性が最も高い。

民主主義台頭への懸念と密約

沖縄は一九五二年のサンフランシスコ講和条約発効によって米国の占領下に入れられ、

一九四七年に施行された日本国憲法からも、一九六〇年の安保条約からも除外された。沖縄が日本に「返還」される一九七二年まで、朝鮮戦争とインドシナ（ベトナム、ラオス、カンボジア）戦争によって爆撃機がひっきりなしに離着陸する沖縄の日常と、本土の「平和国家」は鋭い対照をなしていた。

佐藤栄作政権（一九六四〜七二）の下で、米国の権利は引き続き優遇された。沖縄の日本「返還」は条件付きであった。「密約」として知られる返還合意の隠された部分には、米国のインドシナ戦争遂行を優先的に配慮することと、「有事」の際には必要であればいつでも核持ち込みを容認する条項が入っていた。インドシナ戦争の支援や核兵器使用の容認が公になれば、どんな政府でももちこたえることはできなかっただろうから、その後二〇一〇年まで、そのような了解があったことを政府は否定し続けてきたのである。

二〇〇八年から〇九年にかけ、元政府上層部の複数の人々によって、密約の存在が暴露された後、鳩山政権は、関係資料の調査を命じ、調査委員会は二〇一〇年、密約の重要部分を確認する報告を出した。[*3]

政府は、沖縄「返還」が「核抜き、本土並み」だと言い続けたが、実際には、基地の強化と米軍の核保有を再確認するものであった。佐藤政権は米国に対し、核兵器を持たない、作らない、持ち込ませないといういわゆる非核三原則の三番目は見て見ぬ振りをすることを伝えた。「返還」は日本が米国に莫大な金額を払い、継続的で自由な基地の使用を約束する「買い戻し」であった。米国は六億五〇〇〇万ドル（当時のレートで二三四〇億円）を要求し、それ以後、日本は「思いやり」予算や「接受国支援」（ホストネイション・サポート）の名目で米国に補助金を払うことが慣行となった。*4 一九六九年から二〇〇九年まで歴代政権は、国会にも、国民にも、密約の存在や日米関係について嘘を言い続けてきた。

他方、軍政下にあるあいだ、沖縄県民は、一九四七年施行の日本国憲法に明記されている平和、民主主義、人権の原則が沖縄にも適用されるよう、「復帰」を願っていた。しかし返還交渉の結果は、沖縄県民の希望を踏みにじるものであった。琉球政府の屋良朝苗《やらちょうびょう》行政主席は、憲法の原則に基づくビジョンを「復帰措置に関する建議書」として特別国会に提出したが、それは読まれもせず、無視されたのである。彼が東京に到着するのを待たず、沖縄返還合意は、国会を通過した。

日米政府は何十年も密約を隠し、否定し続けてきたが、真実が明るみに出ることを恐れ、また沖縄に民主主義が育つことも恐れていた。真実を語る人々は容赦なく弾圧された。一九七二年、毎日新聞の西山太吉記者は、密約の一部を入手し、密約の存在を告発した。メディアでも、裁判でも、彼の人格は激しい中傷と非難の的になり、記者としての命を絶たれた。四〇年後の今日でも、彼は国を相手に名誉回復を争っている。西山太吉はそれについてこう表現する。

「それは二、三の密約に限定されるべきものではなく、沖縄全体を包み隠す巨大な虚構といえるほどのものであった。この虚構は〔中略〕その後の日本の外交、安全保障を方向づける起点といえるものであった」*5

ほかにも、こんな事実がある。エドウィン・ライシャワー大使（在任一九六一～六六）は、沖縄の民主主義台頭を危惧し、自民党経由で資金源が暴露しないよう、細心の注意を払って選挙対策費を出すことを勧めた。このとき政治資金の橋渡し役となったのが東条英機内閣で大蔵大臣を務め、一九四八年から五五年まで巣鴨プリズンで服役していた賀屋《かや》興宣《おきのり》であった。*6

基地移転をめぐるごまかし

今も続いている沖縄の危機は、一九九五年九月四日、三人の米軍兵が沖縄の少女を拉致、暴行した事件に始まる。沖縄で米兵の犯罪は珍しくはなかったが、沖縄県民は、この事件には特に強い衝撃を受け、怒りを爆発させた。しかし、沖縄の怒りを鎮《しず》めようとする一方で、日米政府の第一の関心は、何よりも同盟関係の保全にあった。この間の基地移転をめぐる流れを見てみると、常套手段であるごまかしが使われていることがわかる。

事件後、日米政府による「沖縄に関する特別行動委員会」（SACO）が設置され、翌年四月、海兵隊の普天間基地を五年ないし七年以内に返還することを発表した。一九七二年の沖縄「返還」は基地の現状維持を意味したが、一九九六年の普天間返還合意は代替基地があれば、という条件付きであった。普天間基地は、宜野湾《ぎのわん》市の密集した住宅地に隣接し、世界でもっとも危険な基地として悪名高かった。古くて使いにくい、危険な普天間基地の代わりに、新しくて多機能を備えたもっと大きい基地建設が代替案として要求されたのである。

新基地予定地は、沖縄本島北部の辺野古という漁村で、ベトナム戦争当時から米国防総省がお気に入りの場所であった。一九九七年、名護市の住民投票で、辺野古を含む市内での新基地建設反対の結果が出ていらい、建設案は一貫して拒否されてきた。既に基地が集中している沖縄県に、またもう一つの基地を押しつける不当かつ不公平な提案に市民たちは憤慨し、一九九九年から二〇〇二年にかけて、名護市議会は、軍民共用、一五年の使用期限付き、環境保全の保証などを条件に賛成したのである。しかし、条件が満たされる可能性はきわめて小さかったから、反対にも等しかった。

沖縄県民が計画を拒否し、それが実行不可能になると、代替基地計画は、次々と拡大したかたちで再提案された。一九九六年の一時的海上ヘリポート計画は、海上「ヘリポート」という名前から想像される小型施設ではなく、沖縄版「関西国際空港」へと拡大したが、二〇〇五年には、地元の根強い反対の前に「海上」案は廃案に追い込まれた。二〇〇六年には、大浦湾にある現存のキャンプ・シュワブを中心に、二つの滑走路を持つ、空、陸、海用の総合基地を建設し、二〇一四年に海兵隊に手渡す計画が発表された。二〇一一年には二〇一四年という期限は「二〇一四年以降なるべく早い時期」に修正され、二〇一二年には、期限については言及されなくなった。

「五年ないし七年以内」は何回か過ぎ去った。二〇一二年の初め、日本政府は相当大規模な普天間基地の修理と改装工事を認可した。明らかに、普天間返還の実現は遠いという判断を下したものと思われるが、二〇一三年には、安倍晋三政権によって、普天間の代替基地建設へ、最初の一歩が踏み出されたのである。

合意から協定への「昇格」

そのような中、米国の出先機関として長く権力の座にあった自民党は、二〇〇九年、目前に迫った選挙での大敗が予想され、崩壊寸前であった。だが、国会はまだ自民党支配下であったので、二〇〇六年の米軍再編の日米合意を、将来の政府もそれに拘束されるような、国家間のグアム移転協定に昇格して国会で承認させた。
協定は、一九七二年の沖縄「返還」と一九九六年発表の「普天間返還」と同じようなごまかしが特徴であった。日本は普天間代替基地を建設するだけでなく、沖縄の八〇〇〇人の海兵隊員とその家族九〇〇〇人をグアムに移転する費用として六〇・九億ドルを米国に支払う約束であった。後にウィキリークスで確認されるように、「八〇〇〇人という数字、九〇〇〇人という数字も、政治的価値を最大にするために、意図的に大きく見積もられた」ものだった。二〇〇六年当時、「海兵隊員の総数は一万三〇〇〇人程度で、家族は九〇〇〇人を下回っていた」。またグアムの移転費用には、一〇億ドルの軍用道路の建設費が計上されていたが、それは単に「総体の見積もりコストを増やす」ためであった。現実には道路は必要でもないし、建設される見込みは薄い。[*7]
沖縄大学の新崎盛暉《あらさきもりてる》名誉教授は移転費用にまつわる底知れぬ不気味さを語る。
「(ウィキリークスの)米外交公電は推論を、生々しく、具体的に裏付けてくれた。そこに露呈されたのは、あまりにも無残な、日本の政界や官界の荒廃である。二言目には『国』を口にし、排外的ナショナリズムを振りかざしながら、アメリカの〝国益〟と一体化し、アメリカに奉仕する政治家や高級官僚の言動である。私たちは、見たくないものを見てしまったのである[*8]」

潰された「国際都市形成構想」

日本政府の沖縄における基本方針は、返還後も常に「基地第一主義」であった。しかし、沖縄の市民運動は次第に憲法に則った「生活第一主義」を優先する立場を形作っていったのである。基地は、なんとしても縮小あるいは撤去されることが必要だった。特に冷戦の終焉後、沖縄の市民たちは旧来の国境を越えて、隣国の人々と密接に交流する方法を探ろうとした。

大田昌秀知事の時代（一九九〇〜九八）、二一世紀の沖縄県民は「国際的」都市の「コスモポリタン」であれとする「国際都市形成構想」がデザインされ、それが追求された。[*9] それは日本の中では辺境の沖縄を、東アジア地域の中心に位置づけようとする試みであった。近代日本以前の琉球王国の時代、形は中華帝国の冊封国であっても、東アジアや東南アジア社会の交易の中心として、軍隊を持たず、自由な航海と相互尊重の精神で繁栄した時代に立ち返る構想だった。

シェフィールド大学のグレン・フック教授は沖縄の基地依存経済を克服する道を、「沖縄は南シナ海大経済区域、黄海経済区域、そして新興の産業経済地域の真ん中に位置する。アジア太平洋地域の一部、アジア太平洋大交易区域の一部である沖縄を描くことだ」[*10] と言う。

大田知事の構想は、貿易や投資も関係するが、政治的にも沖縄のアイデンティティに深く関連するものであった。基地を二〇一五年までに閉鎖させる「アクション・プログラム」の構想と切り離しては、「国際都市」は実現不可能だった。「コスモポリタン」の沖縄は軍隊なしの沖縄を考えていたのだ。

大田知事は、二つの構想を切り離すことを拒否した。どちらの構想も日本政府の支持は得られなかった。政府にとって、沖縄の「基地最優先」政策は妥協できない原則であったし、また地域共同体へ向け、沖縄が主導権をとることができるほど大幅な自治権を認めるまでに、政府・官僚が手綱《たづな》を緩《ゆる》めることも考えられなかった。そして大田知事は一九九八年二月から日本政府との接触を凍結され、間もなく実施された知事選挙で政府の違法な組織的妨害によって落選したのである。この時、官房機密費三億円が当選した稲嶺《いなみね》恵一陣営に渡ったことを、鈴木宗男氏が二〇一〇年七月に証言した。また沖縄の自衛隊員とその家族は、稲嶺に投票するよう指示されたと伝えられている。[*11]

大田知事の在任期間が終わると、沖縄の大構想は棚上げされた。コスモポリタン都市はもっと控えめな「自由貿易区域」になり、二〇〇〇年三月中城《なかぐすく》で幕開けしたが、進展してはいない。[*12] 規制緩和された金融ゾーン（名護）やＩＴゾーン（本島半分以上の自治体と那覇の中心街）などの小さい計画は二〇〇二年に始まった。

二〇一〇年に沖縄県は「21世紀ビジョン」という新計画を作成した。[*13] ここに、人々も商品、そして資本も、完全に、あるいはかなり自由に流通する、アジア地域の中心であるという考えが再浮上したのである。[*14] 過去にそのような沖縄の願望をぶちこわした要素、つまり沖縄の存在理由は米国の軍事目的用であるという事実を乗り越えられるかどうかはまだわからない。しかし沖縄県は、大田知事時代が終わってから初めて、基地は「沖縄振興を進める上で大きな障害」であり「克服すべき課題」であると公に宣言したのである。[*15]

鳩山政権に向けられた非難と恫喝

二〇〇九年九月一六日、自民党政治とサンフランシスコ体制から（曖昧に）決別することを公約した鳩山政権が誕生した。国の自主的主権を回復する、東アジア共同体を構想する、米国の市場中心の経済政策から距離を置く、官僚主導から政治を取り戻す、米海兵隊の普天間基地を最低でも「県外」へ移設するという鳩山の姿勢は沖縄県民を興奮させた。

しかし鳩山当選をきっかけに、米国から前例のない非難と恫喝《どうかつ》が政権に雨霰《あめあられ》となって降り注いだのである。また取り巻きの政府高官たちのあいだには、対米従属主義があまりに深くまで食い込んでいたので、上層部になればなるほど、彼らの忠誠心は鳩山首相ではなく、基本的に米国政府に向けられた。彼らは、米国高官と陰謀的ともいえる秘密のつながりを持ち、米国に対し、鳩山に「柔軟な態度を示さないよう」警告した。特に沖縄と普天間代替基地をめぐる米国の集中砲火のような非難に対し、日本のメディアや政治関係者の反応は、米国に譲歩しろと鳩山に圧力をかけることだけだった。鳩山は、裏切り者とも言える信頼できない官僚たちと、浅はかで無責任なメディアに追いつめられ、彼らに立ち向かう勇気と明快な目標を欠いたまま、一年としないうちに辞任したのである。

鳩山自身の手記によれば、外務省と防衛省の関係閣僚や官僚が「最後は辺野古しかない」というメッセージを米国に送りつづけ、「最低でも県外」を推し進めることをサボタージュし、それに対し効果的な手を打てなかったという。[*16] 鳩山は訪問先の沖縄で、海兵隊の「抑止力」が必要であることがよくわかったので、普天間の代替として辺野古以外の選択肢はないと述べた。その後、日米共同声明で辺野古移設を確認、閣議で正式に決定し、辞任した。辞任後八カ月経ってから、当時の状況について、選挙の公約を裏切るからには口実が必要だと周りから説得されて「抑止力」と言ったが、それは「方便」にすぎなかったと告白した。また辞任から三年後の二〇一三年、戦略性の欠如と意志の薄弱さから、沖縄県民を失望させ怒らせたことを謝罪した。

鳩山自身が認めるように、彼の降伏は、一つには指導者としての曖昧さと決断力に欠けることによるが、それでも対米関係における日本の属国的地位を、非力であっても再交渉し改善しようと試みた点で、彼は日本国総理としてはユニークな存在であった。彼は、サンフランシスコ体制後のビジョンを持っていた。篠原一東京大学名誉教授は鳩山の降伏は、近代史の中で非常に重要であり、そのように日本国の主権を放棄するのは、「日本の二度目の敗戦」だと言う。[*17] しかし鳩山の後継者たちの得た教訓は、もっと卑屈になっても、もっと不平等になっても、とにかく同盟「深化」を最優先することだったようである。

日本政府は米国との合意を実行することを最優先事項として扱ったが、皮肉なことに、オバマ政権は二〇一二年、米国の世界および太平洋戦略の総括的な再検討に取り組んだ結果、グアムの日米合意全般を一方的に見直すことを決めた。グアムに移転させる海兵隊の数を四七〇〇人に減らし、他は一時的にオーストラリアとハワイ、フィリピンに送る。そのため日本は一〇億ドルを払うと修正された。[*18] 日本政府は新しい条件を受け入れ、辺野古とグアム移設への努力を繰り返し、新たに北マリアナで進められる軍事プロジェクトにも協力する約束をした。また前年の二〇一一年には、新たに宮古島近くの下地島《しもじじま》に「国際災害救援対策センター」を、鹿児島の南にある馬毛島に輸送機用「夜間離着陸」の施設を建設することも言明した。[*19]

レオン・パネッタ国防長官（在任二〇一一～一三年二月）は満足げに次のように述べて

いる。

「彼ら（日本政府）は本当に寛大に、どのような変更でも、必要であればわれわれを支援すると言ってくれた。彼らは多額の支援金をくれるだろう」[*20]

ずさんだった辺野古アセス

一九九七年の名護市の住民投票いらい、日本政府は沖縄の民主的運動を分裂させるなどして、なんとしてでも基地建設に同意させようと努力してきた。地元には補助金をばらまき、地方自治体が財政面で国に依存するよう仕向けてきた。しかし、二〇一〇年までには、そうした国の圧力にもかかわらず、名護市の民主的運動は沖縄県をあげての抵抗運動となって広がったのである。名護市長も、名護市議会も、県知事も、県議会も、沖縄の市町村のほぼ全部が揃って、きっぱりと辺野古への基地移設に反対したのである。現代日本には前例のない出来事だった。日本政府の脅かしめいた説得は効果がなく、二〇一〇年に始まった抵抗の質的変化が弱まる兆しはない。日本政府は、反対運動を負かそうと苦闘し、草の根のレベルでの弾圧をますます強めた。

そのようななか、辺野古の環境影響評価調査（環境アセスメント）が二〇〇七〜一一年に行われたが、それは、政府にとっては面倒な形式上のことにしかすぎないと捉えられた。二〇一四年までに海兵隊に新基地を引き渡すという二〇〇六～〇九年の正式な合意に縛られていることから、環境アセスは先に結論ありきのものと考えられたのである。

沖縄防衛局がアセスのための業者を選定したが、関連業者はほとんどが防衛省OBの天下り先であった。また米国防総省は、後述するように、CH46ヘリコプターの代わりにMV22オスプレイを配備する計画があるかどうかといった重要な情報は公開しないので、全く不確かな情報に基づいた不確かな影響について評価しなくてはならない。そのほか、環境アセスではたとえば辺野古でジュゴンが観察されなかったから、影響はないと結論した。しかし、大浦湾には、絶滅危惧種に指定されているジュゴンが一九九八年から二〇〇三年まで頻繁に観察されていた。ジュゴンが環境アセスそのものによって、あるいはキャンプ・シュワブの上陸演習によって追い出された可能性が高いと地元の人々は言う。

さて、環境アセスの評価書を年内に提出すると米政府に約束した手前、二〇一一年一二月二八日、仕事納めの日の朝四時に、評価書は沖縄県庁にこっそり運び込まれたが、これもまた環境法の専門家たちは、非科学的で、非論理的、史上最悪の評価書として酷評した。[*21] 仲《なか》井《い》眞《ま》弘多《ひろかず》県知事は評価書の不備を五七九項目にわたって指摘し、[*22]「地元の理解が得られないまま移設案を実現することは事実上不可能だ」と宣言した。そのうえで仲井眞知事は「評価書の環境保全措置では、生活環境および自然環境の保全を図ることは不可能だ」と結論した。このように県知事や県議会がアセス報告の数多くの不備を指摘し、全県挙げての大規模な反対が明白であったにもかかわらず、日本政府はただ単に無視したのである。[*23]

二〇一三年一月末、防衛省は補正報告書を完成し、公告縦覧、評価に回した。二月初め、那覇地方裁判所は、法で認められている国民が意見を述べる権利が侵害されたとして、環境アセスの手続きに問題があったことを国に訴えた六二二人の市民に、「原告らに訴える権利はない」としてアセスのやり直しを却下、損害賠償を棄却した。[*24]

日本政府は辺野古の環境アセス裁判と並行して、海兵隊用ヘリパッドの工事強行に反対して二〇〇七年から座り込みを続ける島北部の東村高江《ひがしそんたかえ》地区の住民を脅かす目的で、彼らを道路通行妨害で訴えた。市民参加を妨害する戦略的訴訟（ＳＬＡＰＰ）の典型である。[*25] 高江の住民に対する人権を否定する国のやり方は静かに進行し、沖縄県外ではほとんど報道されない。琉球大学名誉教授の比屋根照夫氏は、ドイツや日本におけるファシズムの初期を思い起こさせると言う。[*26]

「属国」へのカムバック

米国における日米関係の政策指針は、時にジャパン・ハンドラーと呼ばれる「専門家」

グループによって最も剝き出しのかたちで提示される。冷戦直後から、共和党政権でも民主党政権でも顧問を務めてきた米政府の日本関係者たちは、日本政府が後生大事にする勧告や報告書を定期的に(一九九五、二〇〇〇、二〇〇七、二〇一二)交付してきた。[*27] 二〇一二年の報告書は、日本が「一級国家」[*28]の地位を維持したければ、何が必要とされるかよく考えた方が良い、と警告を発した。米軍と「肩を並べて」行動できるよう、海上自衛隊をペルシャ湾や南シナ海に派遣し、防衛費や自衛隊予算を増加する、沖縄をはじめ、グアムやマリアナに新基地を造る、武器禁輸規制を緩める、「集団的自衛」を促進できるよう憲法を改定あるいは解釈を変えるなどの要求リストを、日本政府は神聖な掟《おきて》のようにとらえ、その対応に腐心する。

ここにいたって、日本は再び「属国」の道を歩み始めた。たとえば、二〇一二年四月、オバマ大統領と野田佳彦首相は、日米「同盟」は「アジア太平洋地域における平和、安全、安定の礎」であり、両国は「安全保障と防衛の協力」をさらに進展させることを確約すると定石通りの共同声明を出した。[*29] 米国のアジア太平洋を重視する戦略は変わらず、「地理的により分散し運用面でより抗堪性《こうたんせい》のある兵力態勢をこの地域で実現しようとする」。日本は「二〇一〇年の防衛計画の大綱の下での日本の動的防衛力の構築」と、「強力な態勢を達成できるよう、強力な自衛隊」を作ると約束したのである。結局日本は、基地を造り、自衛隊の米軍統合を進め、南西諸島の軍備を拡大し、「海洋、宇宙、サイバー空間」上でも米国に協力し、軍事的に中国に対決する姿勢をとることになる。政権は変わっても、政策目標は変わらないのである。

また、たとえば二〇一三年二月末、ホワイトハウスでオバマ大統領に冷ややかに迎えられた後、安倍晋三首相は日本の行動マニュアルを書く人々の前で、「リッチ〔リチャード・アーミテージ〕、ジョン〔ジョン・ハマー〕、マイク〔マイケル・グリーン〕やお集まりのご友人たち、ご賓客《ひんきゃく》のみなさん」に、先の二〇一二年の報告書の課題を間違いなく現実のものとすることを保証し、「強い日本を取り戻します」「今も、これからも、〔米国にとっての〕二級国家にはなりません」と宣言した。*30 民主党鳩山政権は、米政府の政策指導に従うのは消極的だったが、二度とそういうことはしない、と誓約したのである。六〇年前のダレスの「根本的問題」に吉田茂が応じたように、属国はカムバックしたのだ。

沖縄差別のシンボルとしてのオスプレイ

米国防総省はまず沖縄に、それから本土に、垂直離着陸輸送機MV22オスプレイを配備することを一九九六年から検討し始めていた。従来のCH46ヘリコプターに比較し、速度は二倍、搭載能力は三倍、行動半径は四倍で、大幅な軍事力増強になると見込まれていた。[31]ものすごい轟音《ごうおん》を発する、より高性能の軍用輸送機の沖縄配備を発表すれば、県民の反発は必至だと恐れた日本政府は、普天間代替基地の環境アセスが進行中であったこともあり、オスプレイ配備計画に関する情報はないと繰り返し否定した。[32]

環境アセス報告が提出されるとすぐに、オスプレイ配備が発表された。日程が目前に迫っていたのだ。沖縄の恐れと怒りは、だまされたことで、より強烈になった。MV22オスプレイは、アフガニスタン、モロッコ、フロリダ、ノースカロライナで墜落、あるいは緊急着陸などの事故を相次いで起こしている。ハワイとニューメキシコでは、地元民の反対から、配備中止、あるいは延期となっている。沖縄では県知事、県議会、県内の市町村首長四一人のほか、宜野湾《ぎのわん》市（オスプレイ配備予定の普天間基地の所在地）の市民五〇〇〇人の集会でも、そろって反対が宣言された。二〇一二年七月、全国県知事会は満場一致で、どんな状況下でも「配備を容認」できないとして「緊急宣言」を採択した。沖縄の作家、目取真俊は、オスプレイ配備は「沖縄差別のシンボル」だと書いた。[33]

オスプレイ墜落事故は、「人間の過失」によるもので、構造的欠陥はないという米国防総省の説明を日本政府は受け入れた。野田首相は二〇一二年七月、フジテレビに出演し、オスプレイ配備に関して「配備は米国の国防総省の方針であり、同盟国であるとはいえ、〔日本から〕どうしろこうしろという話ではない」と述べた。[34]前例のない率直さで、対米従属を認めたのである。

同年九月九日、宜野湾市のオスプレイ反対県民大会には、一〇万一〇〇〇人の市民が参加し、普天間基地のオスプレイの配備反対、普天間を即時、無条件返還せよという決議を採択した。[*35] 琉球新報の社説は次のようにコメントした。

「米政府に唯々諾々と従う日本側の姿は独立国にあるまじき隷従姿勢というほかない。〈中略〉県民にとってオスプレイ配備は、数々の非人道的仕打ちの中でも本質において住民への『無差別攻撃』に等しい。配備を強行すれば県民の反発は海兵隊のみならず、間違いなく米四軍全てに向かう[*36]」

同年五月、仲井眞県知事は、オスプレイがそんなに安全なものなら東京の日比谷公園とか新宿御苑に配備すれば良いと皮肉った。二〇〇六年に仲井眞が当選した時には、彼は保守系政治家であり「物わかりが良い」はずだと、日本政府は協力を期待していた。しかしこのころまでには、仲井眞は地元の選挙民と同じく日本政府にうんざりし、腹を立てていた。当時の森本敏防衛相は、この年の八月にワシントン郊外でオスプレイに乗せてもらい、その感想を「とても快適」で「思ったよりずっと安定していた」と述べた。[*37] そして仲井眞県知事にオスプレイの良さを伝え、説得しなければならないと沖縄に急行した。知事は、沖縄にオスプレイ配備を強行し事故でも起こったら、沖縄の基地全部を閉鎖する羽目になる、と暗い顔で指摘した。

オスプレイがとうとう沖縄に配備された二〇一二年一〇月から、普天間のゲート前で市民が座り込みをつづけ、その間、普天間基地は機能不全に陥った。だが、警察の機動隊が市民を手荒く強制排除し、基地包囲は解除されたのである。

「沖縄県民の総意」を無視する政府

日本政府が沖縄住民の考えなど全く一顧だにしないため、「通常」の民主的な意思決定の道は、沖縄住民にはない。二〇一三年一月、沖縄は驚くべき行動に出た。三八人の市町村長、四一人の市町村議会議長、二九人の県議会議員、数人の国会議員、商工会議所と婦人会代表からなる一五〇人強の沖縄代表が使節団となって請願書を携えて東京に向かったのである。安倍首相はわずか四分の時間しかあたえず、「皆さんの意見をうかがって基地負担軽減を図るよう全力を尽くして努力します」と述べた。安倍は言葉には出さなかったが、普天間を返してほしければ、代わりに辺野古建設を認めろと考えていたのは間違いない。

使節団は請願書ではなく、歴史的に意味深い「建白書」という言葉を選んで沖縄の熱い思いを伝えようとした。建白書は「日本政府は沖縄県民の総意を踏みにじり」オスプレイ配備を強行したと苦い思いを伝えた。要望は簡潔明瞭で、オスプレイ配備の撤回、普天間基地の閉鎖・撤去、県内移設を断念すること（辺野古基地建設計画の中止）であった。[*38]

元自民党沖縄支部長であった翁長雄志《おながたけし》那覇市長は、使節団を代表して演壇に立ち、「安倍首相は日本を『取り戻す』というが沖縄は日本の一部なのか？」と述べたあと、皮肉たっぷりに「日本政府も日本国民も沖縄の民意をないがしろにしている。アジアや世界から信頼される品格ある国や国民といえるのか」と問いかけた。[*39]

全県を代表する心からの怒りが、このように厳粛なかたちで表明された前例は歴史上にない。それでも沖縄の嘆願は全く無視された。使節団が東京を離れるやいなや、国会は沖縄への交付金をわずか二・二％増額した二〇一三年度予算案を可決したのである。アメで沖縄の同意を買えると頭から信じ切っている、本当に沖縄を馬鹿にしている、と地元では受けとめられた。

普天間移設計画とオスプレイ配備を熱心に押しつけた森本防衛相は、大臣としての最後の記者会見で、普天間から辺野古へ（あるいは県外へ）移設する軍事的必要性はない、「軍事的には沖縄でなくてもよいが、政治的に考えるともっとも適しているのは沖縄だから」と発言した。[*40] 海兵隊基地が沖縄でなくてもよいなら、オスプレイも沖縄でなくてもよいはずだ。日米政府は、兵器配備によって同盟の抑止力は増強されると主張するが、それどころか、逆にそれによって攻撃目標になりやすい。沖縄の切実な嘆願を差別的・侮蔑的に、いとも簡単に斥《しりぞ》けたことで沖縄の怒りと憤懣《ふんまん》は増幅した。安全保障は根元から揺らぎ、日本の民主主義は内から侵蝕されるだろう。長いあいだ、次々に新たな難題を出され、闘争は次第に激しくなり、全沖縄県を巻き込むまでになった。沖縄の怒りと憤懣はマグマとなって、ある時は噴き上がり、ある時はふつふつと潜んでいるが、けっして消えることはない。沖縄の本土に対する絶望は、オスプレイ配備で決定的になった。

辺野古基地建設計画は一七年ものあいだ、日本政府にはどうしても打ち破ることができない難関として立ちはだかってきたが、国会でも裁判所でも市民の抵抗が斥けられ、二〇一三年、安倍政権はいよいよ行き詰まりを打開しようと動き出した。三月二二日、政府は正式に仲井眞県知事に辺野古湾埋め立ての申請を提出した。それから、安倍首相は四月二八日を「主権回復の日」として祝日にする計画であると発表した。沖縄県民にとって、四月二八日はサンフランシスコ条約によって、英語と米ドルの米軍施政下に引き渡された「屈辱の日」だと考えられてきたから、安倍の提案こそ「二度目の屈辱」だった。[*41] 仲井眞知事は、四月二八日は沖縄が「(日本から) 捨てられた日」であり、それが現在まで引き続く沖縄の痛みの原因となっていると不満を表明した。[*42]

3 馬毛島――秘密裏に進む軍事基地計画

癒着と腐敗の場と化した「宝の島」

ほとんど無名の小島も、サンフランシスコ体制下で、沖縄本島と同じように地政学の力に翻弄されている。たとえば、下地島、与那国島、馬毛島などの島々は、沖縄本島から遠い場所にあるが、経済的にも社会的にも、沖縄と同じ離島の苦しみを抱える。米軍基地が集中する沖縄本島と違って、今までには東シナ海の小島には軍事施設はなかった。しかし、日本政府は全般的な防衛力強化のため、南西方面のいくつかの要所に軍事配備を計画している。宮古島に近い下地島の飛行場を軍用に転換する、日本最西端の与那国島に自衛隊を配備する、鹿児島に近い馬毛島を米軍基地にする、また日中で係争中の尖閣（釣魚）諸島付近に自衛隊による管理を確立するなどである。*1 以下では、これらの島々について見ていく。

馬毛島は、鹿児島から約一一〇キロ南に下った種子島の西之表《にしのおもて》市から一二キロ西の沖合にあり、世界遺産指定の屋久島《やくしま》から約四〇キロ北にある。サンフランシスコ体制の片隅で、戦後の馬毛島は、遠く離れた日本政府の無責任によって見放され、癒着や腐敗に翻弄されてきた。最近は米軍訓練施設にする話が浮上し、何やらきな臭いにおいも漂い始めている。

馬毛島は周囲一六・五キロ、面積八・二平方キロ、最高標高七一・一メートルの平坦な島だが、黒潮と北西季節風の影響で寒暖差が大きく、場所により環境が大きく異なる。年間降水量二三〇〇ミリの雨は、湿地帯や数多くの豊かな小川と、常時清流の四つの豊かな川に注がれ、驚くほど多様な生物たちを育んできた。*2 島固有の「マゲシカ」に加え、何種類ものメダカ、蝶、鳥類、ウミガメ、カニなどが生息している。また季節になれば（五〜七月）、島の周囲は産卵期のトビウオで沸き返っていた。*3

一九八七年から二〇〇〇年にかけて毎年学生たちと島を訪れ、島の自然をもっともよく観察してきた研究者は、この島を「宝の島」と呼んだが、*4 種子島の漁師たちにとっても、「漁で子どもを学校に入れ、育てた」馬毛島はまさに「宝の島」であった。

観光地化計画から軍事基地計画へ

馬毛島の戦後史からは地域開発政策の失敗がうかがえる。一九五一年に開拓が奨励され、最盛期には小中学校の分校も設けられ、一一三家族五二八人が住み、米や砂糖黍《きび》、漁業、海藻や薬草採取に従事した。だが、自然は豊かでも島民たちの生活は貧しく、苦しかった。

一九六九年、政府は米作奨励から米減反政策へ転換した。一九六八年頃から離島する人が急増し、七〇年には人口は二八四人まで減少し、八〇年には学校が閉鎖され、島は無人島となった。一九七三年に馬毛島開発業者が開拓地の買収を開始し、七〇年代には、馬毛島をレジャーセンターとして観光地にする計画が持ち上がったが、八三年頃には自衛隊のレーダー基地にする、一九八四年には石油備蓄基地、九〇年代には使用済み核燃料中間貯蔵施設、スペースシャトルの着地点にするなど、やみくもに計画だけが次々と立てられた。こうしたなか、一九九五年馬毛島開発株式会社を傘下に持つ、立石建設株式会社に馬毛島開発の経営権が委譲され、少数の業務員が開発のため馬毛島に常駐した。

立石建設は、馬毛島のもっとも有望な売却先、あるいは貸与先として防衛庁（現・防衛省）に目を付けていた。日本政府から馬毛島の話を伝えられた米国防総省は、馬毛島の戦略的位置と「空き地」であることに高い関心を示した。馬毛島開発（立石建設）は将来の有望な顧客を念頭に、大規模に林を伐採し、南北四二〇〇メートルと東西二四〇〇メートルの十字型の滑走路建設を開始した。

二〇〇七年、馬毛島は米軍の夜間離着陸訓練場の候補地であると新聞で報道された。沖縄県の一部ではないから、二〇〇九年には鳩山首相の「県外移設」の公約に合致するものとして、海兵隊の移設先として一時候補に上ったこともある。[*5]

滑走路は許可なしで建設され、違法である可能性が大きい。六〇ヘクタールまでの伐採と、整地と軽飛行場建設が許可されたが、実際には一七〇ヘクタールの森林が伐採された。[*6] そして立石勲社長が二〇一一年六月、脱税容疑で起訴され、有罪判決を受けたこと[*7]もあり、何十年にもわたって続けられてきた違法行為に、市、県、国当局が徐々に注意を払うようになったのである。

地元民に亀の形をしていると親しまれてきた馬毛島は、「岳ノ越」といわれた島の最も高い丘を平らに崩してしまったことで地形が全く変わってしまった。二〇〇二年には四四一ヘクタールであった森林は、この一〇年ほどで四〇%減少し、成田空港か関西空港のような前述の大規模な滑走路が現れ始めた。[*8]

そして当時の鳩山首相は、地元民の強い反対と不法開発の黒い噂もあり、普天間代替基地としての馬毛島移設を断念したのである。

しかし、馬毛島の軍事基地としての可能性は忘れられていない。東シナ海という位置、半ば完成済みの滑走路、そして反対運動を起こしそうな住民はいないというのが、何よりも魅力的に映るのであろう。二〇一一年に馬毛島開発は、タストン・エアポートに名前を変えた。しかし、立石建設が株を一〇〇%保有する親会社であることは変わらず、立石社長が依然としてすべての業務と権利を掌握していることも変わらない。

凄まじい自然破壊による生物種減少

二〇一一年六月、ワシントンで日米両国の防衛、外務担当の閣僚による「2プラス2」の協議会が開かれ、自衛隊施設あるいは米海軍の空母艦載機（通常、空母ジョージ・ワシントンは横須賀が母港）の訓練基地の候補地として馬毛島の名前が挙げられた。実現すれば、日米両軍のより密接な協力関係を作ることに役立ち、米海軍にも喜ばしいと考えられた。

しかし、馬毛島が管轄内にある種子島の西之表市では、軍事施設反対派が、徐々に勢いを得ていた。種子島は、数多くの日本の地方町村と同じく過疎の問題に悩む。[*9] だが、厳しい生活条件にもかかわらず、島民たちは、「馬毛島の自然を守る会」を二〇〇〇年頃発足させた。伝統的に馬毛島の土地利用は、馬毛島漁場の入会権を持つ住民が共同で決定し、勝手に土地を使うことは許されなかった。この入会権が防潮、防風、土砂保全などの環境保全に役立ってきたのである。馬毛島の森林伐採や土砂採取によって、海水汚濁の被害を受けた漁師たちは、建設や採石禁止、また馬毛島の葉山漁港入会権の確認を求めて訴訟を起こしたが、入会権確認訴訟を除き、すべて請求は却下された。二〇〇八年、最高裁は入会権を認めたものの、鹿児島地裁に差し戻しとなったため[*10]、いまだ決着がつかないが、葉山漁港への漁師たちのアクセスは認められている。

馬毛島開発は、「地元にとっても国にとっても利益となる建設計画なのに、反感を持たれているようだから」といって、二〇〇七年から二〇一二年初めまで、研究者も報道関係者も、市や県の関係者でさえも、誰一人島に入れさせなかった[*11]。それに対して町や県の監視の目が光ることもなく、日本政府は見ない振りをしたのである。条例や法律違反の疑いは十分だったが、調査されることもなかった。業者の乱開発は、自由になったかに見えた。

だが、外部の世界に向かって閉ざされている島に、スキャンダルの噂が暗雲のように集まったのである。上陸できなくても、上空からは六階建てのビルや作業員用の宿舎らしい建物をはっきりと確認することができた[*12]。鹿児島県は、森林法違反、またシカの数が激減しているのではないかという疑いから馬毛島に関心を寄せ、上陸して調査するための手続きを進めた[*13]。そして前述のとおり、二〇一一年に立石社長に脱税の有罪判決が出された後、現場作業は一時中断したのである。

基地化への抗議

二〇一一年七月初め、小川勝也防衛省副大臣らが、西之表市市役所で馬毛島への基地移転について説明して間もなく[14]、西之表市の一部の市民たちは「自衛隊訓練施設設置推進を求める会」を作り陳情書を出した。それに対して、七月末近く、鹿児島県知事と県議会は、地元に十分な説明がないまま日米共同文書に馬毛島が移転検討の対象として明記されたことに対して防衛省へ抗議した[15]。

二〇一二年五月、六月に鹿児島市と西之表市など周辺の町の代表が、地元の反対意見を尊重してほしいと防衛省に要請した[16]。馬毛島の基地化反対の嘆願書には、馬毛島に隣接する四市町の選挙民の五七％にあたる二万五七九八人が署名し、全国的には二一万七四一七人の署名が集まった[17]。馬毛島の基地計画反対の決議は、次々と関係市町村に広がった。

政府の上層部関与のスキャンダルの噂が流れる中、二〇一三年二月、安倍政権の小野寺五典《いつのり》防衛相は、馬毛島を中心に様々な調査を行っていると述べ、軍用地の交渉が継続していることを示唆している[18]。

日本政府は、馬毛島に次々と投機的開発計画の波が押し寄せるのを知りつつ、故意に、あるいは共謀的に見て見ぬ振りをしてきた。この島が昔の面影をとどめないほど平らにならされ、日米の軍事関係者に都合が良いように基地用に整地された事実が一般の人々に明らかになったのは、二〇〇七年以降のことだった。沖縄の経験からすると、政府の強い決意の前には、工事差し止め訴訟など、司法制度への働きかけは有効ではないことが示されている。裁判は長いあいだ延々と続き、そのあいだに基地建設は、既成事実だと宣告されるまで、不可逆的に、静かに着実に進む。

地元の市民グループは島を買い戻し、自然環境を修復する目標を宣言したが、現実にはとうてい地元市民の工面できる金額ではない。屋久島の世界遺産と関連づけて、馬毛島を自然保護区にするのもひとつの手段であろう。この小さな島の知名度はゼロに等しいので、島の生物たちと島を守ろうとする市民グループに対する日本全国からの支援と自然保護へ向けた圧力なしには、本当の解決は期待できない。この半世紀のあいだに、特に自然環境の破壊から生物種が恐ろしい勢いで消滅しつつある。人々には知られていない、この自然の宝庫を、戦闘訓練用の施設と引き換えにするとは、あまりにも愚かではないか。

4　八重山諸島、与那国島——四つの難題

過疎化する与那国町

日本最西端の地・与那国島は、台湾の首都台北までは一六〇キロメートル強、中国大陸の福州までは三七〇キロに位置し、東京（約二〇〇〇キロメートル）はもちろんのこと、県庁所在地の那覇（五一四キロメートル）よりも、ずっと台湾や中国に近い。きれいに晴れている日には、台湾の山々が海辺から見えるほどだ。周囲二七・五キロメートル、面積は二九平方キロメートルの小島であるが、与那国独自の文化や伝統を持つ。特に音楽と言語は独特で、他に見られない。島言葉の「どぅなんむぬい」は、日本語より現代ドイツ語や現代英語と起源を共有する部分が大きいとも言われる。*1

この与那国島を含む八重山諸島の島々は、二〇一〇年頃から住民同士を分裂させた四つの難題に振り回されている。自衛隊配備計画、教科書選択、尖閣諸島、北朝鮮の「脅威」。これらの問題は、いずれも日本の過去をどう理解するか、島々の将来はどうあるべきかに関わっている。

今では、八重山諸島が日本領土であることに誰も疑問を持たないが、一六世紀初めに征服されるまで、ここは琉球王国の一部ではなかったし、一八七九年に沖縄県に編入されるまで日本国の領土ではなかった。一八八〇年、日本は、中国に列強の一つだと認めてもらうため、八重山諸島を中国に手渡すつもりであった。両国は最恵国待遇や宮古、八重山諸島の割譲などを決めた条約を用意したが、結局は清国が調印しなかったので「幻の条約」[*2]となって与那国島は日本領として残ったのである。

大日本帝国の最盛期には、与那国島と隣接する台湾との間に、経済的・社会的に密接な関係が築かれた。終戦直後も台湾との交流は継続し、米国が密貿易の取り締まりに乗り出すまで活発につづいた。[*3]一九五二年四月、サンフランシスコ講和条約が発効し、本土では日本国の主権が回復したが、八重山諸島も含め、沖縄県全部は米軍の施政権下に置かれたのである。

沖縄本島と違い、八重山諸島には米軍施政の深刻な影響はなかった。冷戦のあいだ、中国大陸は敵であったが、与那国島には軍事施設はなく、拳銃を持った警官二人が法の番人であった。軍関係の施設がなかったから、一九七二年の琉球政府廃止の時に、痛手も受けなかった。しかし、中国との国境線が台湾海峡から与那国島近くを通るので、今でも冷戦時に敵見方を分けた線を乗り越える構想は難しい。

与那国島は世界でもっとも活発に発展している地域の中心にありながら、東京から見れば僻地であり、なおざりにされてきた。与那国島の人口は、一八世紀末には一〇〇〇人、大日本帝国最盛期には五〇〇〇人、一九四七年には一万二〇〇〇人となった。その後は下降の一途をたどり、一九九〇年には一八五〇人（七八〇戸）、二〇一二年には一五三四人（七五三戸）になった。[*4]高校、病院もなく、これといった産業もない。中学を卒業した子どもたちが島を出ていくことは、「一五の旅立ち」と言われているが、永遠の別れになることが多く、それは痛切な悲しみに満ちたものになる。

人口減少は国や地域、そして世界的な変化の原因でもあるし、結果でもある。だが、小泉純一郎首相（二〇〇一〜二〇〇六）が採用した地方分権、規制緩和などネオリベラリズム的な「変革」は、与那国島のような小さな村に深刻な影響を与えた。地方交付金削減のため、小さい地方町村は、合理化の名目で大きな自治体と合併することが奨励された。地方分権政策により、島は徴収した税金を収入に組み入れるようになったが、全体として町の財政は大幅な減収となった。人口減少で税収入は減り、インフラや公益事業をまかなってきた中央からの一括交付金は減り、そのために仕事も減り、さらに人口は流出した。

外間守吉《ほかましゅきち》町長は、政府の地方交付金は一九九〇年代には年間三〇億〜四〇億円だったが、それ以後毎年一億、五〇〇〇万、五〇〇〇万と連続的にカットされ、二〇一一年には約二〇億円になったと語った。[*5] この一〇年ほどのあいだに、法務局、入国管理事務所と気象観測所が閉鎖され、[*6] 衰退感はますます強まった。与那国島はまぎれもなく過疎の村となったのである。

与那国の「自立へのビジョン」

与那国島も含め、離島はどこでも、どうにかして生き残るために苦闘している。沖縄本島で大田知事が「国際都市形成構想」を考えたことは先述したが、それと同じような発想で、与那国島も、自立性をもって、大幅に「開かれた国境」のかたちで近くの地域（台湾）と協力し、経済を活性化させる計画を立てた。だが、政府の支持が得られず、大田構想が挫折した経験が与那国島でも繰り返された。国際交流の道が閉ざされている以上、他の方策はないとして、いま与那国島では軍事の最前線の役割を引き受けようという動きが活発化し、その一歩が踏み出されようとしている。以下、その流れを見ていこう。

二〇〇四年一〇月、与那国島が同じ列島内の石垣島と竹富島と合併するかどうかについて住民投票が行われた時、大多数が反対であった。[*7] 島の住民は自分たちで島の将来の計画を描き、それは二〇〇五年に「与那国・自立へのビジョン」として出された。「ビジョン」で採用された重要な点は、自立、自治、共生であった。[*8] 従来否定的に考えられていた辺境、僻地は、アジア地域という大きな枠組みの中で考えればプラスに変わる。東京からは遠いが、台湾、中国大陸はかなり近い。香港（約八〇〇キロメートル）も、マニラ（約一〇〇〇キロメートル）も日本のいろんな所より近い。島の将来の「ビジョン」はアジア地域への距離的近さを有利さに変えることにかかっている。

「ビジョン」の要になるのは台湾である。一九八二年に与那国町は台湾東部の花蓮市と姉妹都市関係を結んだ。一九八七〜八八年には台湾全域とより密接な関係を築くための提案を出したりもした。二〇〇七年には市町村として、日本で初めて、台湾に連絡事務所を開設した。「国境を越えて、二地域を結び、家族のように親しい関係」を築くという抱負に対する期待は大きかった。〇九年に、台湾東部の町、花蓮、宣蘭、台東の市町長らと八重山諸島の三市町長は「国境交流推進共同宣言」に調印した。[*9] 定期便を確保し、国境を越えて観光、教育、貿易を推進する計画であった。

しかし、現実には交流は限られたものにとどまった。二〇一二年に与那国町と花蓮姉妹都市締結三〇周年を記念して、三五台の水上バイクに乗った七二人の花蓮の使節団が与那国島の海辺に到着し、[*10] それは二地域の距離的近さを表す劇的な出来事だったが、国境を越えるのがどれほど簡単かということを示すことができても、空も海も定期便は設けられていない。

大田県政の時、台湾と福州との交流関係を築き、沖縄県の国際化を企画した吉元政矩《まさのり》副知事が、与那国町の「ビジョン」に重要な役割を果たしたのは偶然ではない。吉元は、少年時代、与那国島で暮らしたことがあり、植民地時代の台湾と与那国島の密接な結びつきを今でも懐かしく思い出すという。勉学や商売、仕事などで台湾に渡ったりするのは、簡単で普通のことだったし、敗戦後、政府はないも同然だったから、与那国島の港は生活必需品を取り扱う闇商売で大賑わいだったと言う。しかし、吉元の思いは現実の壁に阻《はば》まれたのである。

自主、自立の計画の実現のためには、海が開かれた「公海」になる必要があるが、日本政府はそのような国民国家制度を緩めることには気乗り薄であった。政府関係者は、香港が中国に返還された時のような「一国二制度」の考えには賛成できなかった。国家の統合を緩めるようなことは許せなかったのである。

与那国の祖納《そない》港は、「主要な外港」の資格はない。国際的交流には、出入国管理、衛生、検疫手続きの施設が必要であり、それらはまたSOLAS（海上における人命安全のための国際条約）の基準にあわせることも必要であった。与那国島‐石垣島の定期便フェリーを国際基準にあわせるためのコストはあまりにも高かった。与那国島から台湾へ行くのは、石垣島へ行くより近かったが、国境の壁は高い。*11 二〇一一年には、七三万人が八重山諸島を訪れた。台北から石垣へはチャーター機が週三便と、四月から九月には観光船が週二回運行する。[*12] ほとんどの客は、与那国ではなく石垣島へ向かう。

自衛隊誘致を中心とした島再生プラン

与那国島が夢見た自主、自立のビジョンが、国家の規制などによって国境線は越えられないという理由で失速すると、それとは全く異なる島起こしのビジョンが検討されるようになった。二〇〇七年に、元自衛隊員や自衛隊関係者たちが与那国防衛協会を結成し、防衛省に打診した結果、有望との感触を得て、自衛隊誘致を中心とした島再生プランを強く主張し始めたのである。[*13]

同年六月、米海軍のガーディアンとパトリオット掃海艦二隻が、祖納港に入港した。沖縄の民間港に軍用艦が入港したのは、一九七二年の返還いらい初めてだった。親善と乗組員の休養のためという口実であったが、基本的には、情報収集のほか、日本と台湾および中国との対立を煽り、日中の国境地域を軍事化する目的があった。那覇の米国総領事、ケビン・メアは次のような秘密公電を流したという。祖納港入港は、「作戦上重要」であり、「沖縄の民間港に海軍の船が入港した重要な前例」になる。また祖納港は水深が十分あり、米掃海艦が同時に四隻入る余裕があるし、「台湾海峡で有事の際」には掃海艦の支援用へリコプターが使用できる民間空港も近くにある。[14] メアの提案通り、米海軍は二〇〇九年に石垣島を、二〇一〇年には宮古島を訪問し、海上自衛隊も石垣島と竹富島に寄港した。[15]

二〇〇八年五月、自民党政府がまだ国会を掌握している時、与那国防衛協会は、島の五一四人の署名を集め、町議会に自衛隊誘致の提案を出した。九月、町議会は賛成多数で可決し、正式に自衛隊に話を持ちかけた。外間守吉町長は二〇〇五年当選、〇九年に再選された。一期目には島の自主自立「ビジョン」の熱心な支持者であったが、自衛隊誘致支持に変わったのである。

二〇〇九年九月に誕生した鳩山政権は、東アジア共同体構想などアジア重視の姿勢をとり、中国に挑戦的だと見られることを恐れて、国境の島へ自衛隊を配備することには反対であった。[16] しかし、鳩山首相は早々と退陣させられ、続く菅直人政権の時に起こった中国漁船と日本の海上保安庁巡視船衝突事件の後、先島諸島に自衛隊の一時派遣ではなく、常駐を求める声が強まった。[17]

そうした中、二〇一〇年一二月の閣議で、南西地域防衛体制強化のため、自衛隊派遣を認める防衛計画の大綱が示された。関係閣僚や官僚たちは、国境の島々の軍備力強化に向けて動き出した。大綱では中国軍の急速な近代化が日本を囲む安全保障環境の懸念事項の一部だと認識し、従来の「基盤的防衛力構想」に代え「動的防衛力」を構築すること、また島嶼部の防衛は自衛隊の強化と米軍との連携が今後も引き続き重要だとする。[*18]
二〇一一年八月、民主党政府は自衛隊の沿岸監視部隊を与那国島に派遣すると発表した。当初は少人数で、調査と適当な用地選定、購入の費用として一〇億円が割り当てられ、与那国には一〇〇人、宮古島と石垣島にはその二倍ほどの配備が予定された。「日米の動的防衛協力」構想は東シナ海で自衛隊が活動することによって、中国への抑止力になるとするものである。[*19]そして二〇一二年、政府は南西諸島地域の防衛体制強化を「最優先事項」だと宣言した。[*20]
このような流れを受けて、外間守吉町長は、島には自衛隊誘致以外の選択肢はない、「中国の脅威」を恐れているわけではないが、過疎のこの島に国の注目を集め、若い人たちを入れて、高齢化した人口を建てなおし、経済を活性化する方法は他にない、と言う。[*21]与那国島には沖縄本島のように米軍上陸や地上戦はなかった。戦後、米軍基地も来なかったが、基地の代償としての多額の補償費や開発資金、インフラ整備などのお金も来なかった。今、沖縄本島に「追いつく」ためには、宜野湾や名護のような道しかないが、そこで海兵隊ではなく、自衛隊誘致なのだと、町長は語った。

自衛隊をめぐり島が二分された与那国

このようななか、尖閣諸島をめぐる緊張が高まり、二〇一一年秋ごろから与那国島への自衛隊誘致が注目されるようになった。そして前述のとおり、南西諸島が政府の視野に突然浮上することになったのである。二〇一〇年二月、石垣島では一六年つづいた「革新」政権が退場し、市長と市議会は保守系に交替した。中山義隆市長は、海上自衛隊の石垣への入港を歓迎し、尖閣諸島における日本の主権と支配を強化するよう呼びかけた。尖閣諸島は名目上石垣島の管轄内にあり、石垣市は「尖閣諸島開拓の日」を制定した。

日本中のメディアが、沖縄本島より南西方向五〇〇～六〇〇キロの海域は安全保障上の空白になっていることを熱心に議論し始めた。[*22] 与那国島の一部の住民たちは、高給取りの若い元気な自衛隊員が島を活性化すると期待した。島は不景気だし、自衛隊に入れば技能も習得できるというので、入隊する若者もちらほら出てきた。[*23] しかし、別の住民たちは、島に軍事施設があれば中国を挑発し、中国は対抗措置をとる可能性もあると心配する。また、自衛隊がどれほど経済的メリットをもたらすのかについて疑問を持つ。[*24]「自衛隊産業」は万能薬ではない。対馬《つしま》は五〇年以上自衛隊を駐屯させているが、対馬の人口は着実に減り続けているではないかと言う。[*25]

二〇一一年、与那国島選挙民の約四六%にあたる五五六人が、自衛隊誘致をキャンセルして、「ビジョン」の精神に帰ろうという「与那国改革会議」の要望書に署名した。[26]自衛隊誘致促進の署名は約四三%、五一四人の署名を集めたので、島の意見はほぼ半分に割れたのである。八月末の沖縄タイムスの調査では、与那国の自衛隊配備に反対する人は、八重山諸島全体では五六・六%であった。[27]続いて九月初旬の琉球新報の調査では、与那国島では自衛隊誘致反対は七三・三%、賛成は一三・三%だった。石垣島では反対五九・四%、賛成三〇・九%、竹富島では反対六一・五%、賛成一九・二%であった。[28]しかし、同年末に、与那国町と防衛省の共同説明会では、二〇一五年の配備を念頭に、既に自衛隊を配備する候補地を考慮中であることが伝えられたのである。[29]

それに対して、二〇一二年、自衛隊基地計画に反対する住民は住民投票で自衛隊誘致の是非を直接問うべきだと、住民投票条例制定請求書を作成、五八八人が署名した。[30]しかし、九月の町議会では住民投票に関する条例案は、三対二で否決された。[31]外間町長は自衛隊誘致派であるが、住民投票実施が否決されたのは残念だという。[32]

二〇一二年一二月、「国防軍」と「集団的自衛」を標榜《ひょうぼう》し、中国と軋轢《あつれき》の種になりそうな南西地域防衛態勢強化を唱える自民党政権が復活した後でも、外間町長は、自衛隊誘致が国防のためではなく、あくまで島の発展のためであることを強調する。[33]外間は、二〇一三年初め、島が国防政策に協力すればどのくらいの補償金が出るのかについて国と折衝した。はじめ防衛省は五〇〇〇万円の賃貸料を提示し、外間は賃貸料一二〇〇万円と市町村協力費あるいは迷惑料として一〇億円を要求した。*34 結局、彼は一括払いの要求を撤回し、年間賃貸料一五〇〇万円で妥協し、町議会は三対二の与党多数で可決した。そして外間は八月一一日の町長選で、四七票差（五五三対五〇六）で三選された。*35

外間の選挙キャンペーンは、国防軍としての自衛隊配備ではなく、もっぱら経済効果に焦点を当てていた。（外間によれば）島の財源は九五％政府に依存しているし、人口流出をなんとか食い止めるために、お金は十分に出すという政府の約束は決定的だった。外間に投票すれば、給食費は無料、ゴミ焼却炉も上下水道もグラウンドも整備され、光ファイバーも島に接続されると約束された。

外間が三選したことで、自衛隊はおそらく計画通り、二〇一五年から島に常駐する。しかしながら、外間に投票した半数強の住民は、自衛隊によってもたらされる利益のために投票したのであり、国防軍としての自衛隊に投票したのではない。住民たちも、そのことを十分認識している。住民は一時的でも建設ブームが来れば良いと思っているが、島の将来について、島内が分裂し、人間関係を傷つける恐れがあることや、安保同盟を優先させる日本政府が、経済政策ではＴＰＰの加盟にも熱心であることも承知している。自衛隊による過疎対策とは裏腹に、TPPが島の漁業と農業を崩壊させ、人口流出が加速することを恐れている。

与那国の島民が本当に望んでいるのは、自衛隊配備ではなく、二〇〇五年のビジョン構想で示されたように、国境の規制を緩やかにし、台湾や中国と貿易、教育、観光、医療面でお互いに往来できるような「開港」を国が支援してくれることではないか。

八重山教科書問題

国境の島の自衛隊配備を成功させるためには、国土防衛を支援する島民の意識を育むことが大切だった。そのためには、正しい日本の歴史と日本人のアイデンティティが必要とされた。一九四五年の地上戦の壊滅的打撃から軍隊には激しい嫌悪感を持つ沖縄の「平和主義」は、日本政府には厄介物であった。保安隊が改組され自衛隊が新設された一九五四年の内閣情報調査局の出版物には次のような文がある。

「国民の愛国と国防の意識を涵養《かんよう》するためには、戦争被害の記憶を除去し、戦争の被害の記憶を持たない若い世代の心に訴える必要がある」*36

愛国心「涵養」の努力は時と共に強まった。教科書検定は一九四八年ごろから始まった。一九六二年、家永三郎氏の『新日本史』の教科書を不可とする裁定が出されていらい、八二年、八六年など、特に歴史教科書における植民地時代や日本の戦争責任の記述をめぐって論争が絶えない。一九八〇年代、折しも中曽根康弘首相の、日本を米国の「不沈空母」に変容させる政策が進められようとしていた時代には、アジア「侵略」を「進出」と書き換えさせるなど歴史教科書の修正をめぐって激しい論争が引き起こされた。

一九九五年ごろからは、「誇り」の持てる「美しい」日本の「正しい」歴史を教える運動が広がり、そのように記述されているか、教科書の検定が広まった。

「正しい」歴史教科書運動の創始者の一人は、歴史の勉強は、「日本人であることに誇りを持たせられるかどうかという道徳的義務」だと言う。[*37] 彼らは、第二次世界大戦中の南京虐殺や慰安婦としてアジアの女性を大規模に動員した日本の戦争責任を否定、あるいは軽視し、自分たちの見方に賛成しないのは「自虐史観だ」と非難したのである。二〇〇〇年ごろから、「新しい歴史教科書をつくる会」が自由主義史観を推進し、彼らが推奨する教科書を普及させる試みは、あちこちで波紋を起こした。「つくる会」の教科書は、二〇〇一年に検定を通過したが、その後一〇年たっても、市民の反対が続く中、採用されたのは全国で四%にとどまり、沖縄では皆無であった。[*38]

強行された教科書選定

文部省による歴史教科書検定をめぐって、家永裁判（一九六五～九七）からずっと論争が続いてきた。沖縄の歴史に関係するもう一つの裁判は、一九七〇年に出版された大江健三郎の『沖縄ノート』が、座間味《ざまみ》島と渡嘉敷《とかしき》島の「集団死」を命じた日本軍責任者の名前を明記し、元日本軍指揮官と指揮官の遺族が著者と岩波書店を相手に名誉毀損の民事訴訟を起こしたものであった。右派勢力や歴史修正主義者は自決行為を名誉に考え、大江は日本軍の恥ずべき命令と見たのである。

さて、二〇〇六年に、「自由主義史観」を唱える政治家の中でもっとも大きい影響力を持つ安倍晋三が総理となり、平和憲法など戦後政治の原則を変えようと圧力をかけ始めた。安倍は普遍的人権を教育目標とする一九四七年いらいの教育基本法を改定し、愛国心教育を義務づけた[*39]。

このような「自由主義史観」のネオナショナリズムの流れに乗って、二〇〇七年三月、文科省は中学の歴史教科書から「集団死」が日本軍の「強制」であった記述を削除するよう命じた。六カ月後の同年九月二九日、沖縄では文科省の自死「強制」削除の命令を撤回するよう求める声が起こり、それは参加数一一万六〇〇〇人という沖縄の歴史上最大の集会とデモになった。

翌年、大阪地裁は大江に有利な判決を下し、最高裁も二〇一一年四月に上告を棄却し地裁の判決が確定した。他方、文科省は教科書検定に際して、軍が「自死」を命じたことは曖昧にし「軍の関与」の記述を認めるにとどめた。戦争の歴史と記憶は、沖縄の熱い心をかき立てる。作家、目取真俊は裁判と国の教科書検定の目的を次のように要約する。*40

「今回の裁判について私は、裁判の背景に憲法改悪や愛国心教育の推進という動きと同時に、在日米軍再編にともなう沖縄における自衛隊強化の問題があることを指摘してきました。〔中略〕沖縄の自衛隊強化を進める上で、沖縄県民の中にある反自衛隊感情や『軍隊は住民を守らない』という認識を払拭し、〔中略〕自衛隊を支える県民意識を作り出していくことが、政府・防衛省や右翼勢力の課題になっているのです」

「戦争ができる国」に向けた国民意識を形成し、国民を戦争体制に動員するために、政府は沖縄戦の記憶を払拭したいと考えており、皇軍が犯した蛮行や「集団自決」の命令・強制は隠蔽し否定する必要があった。

沖縄の歴史に関するイデオロギーの闘いは、二〇一一年八月二三日にまた新たな局面に入った。石垣市（人口四万八七三五人）、竹富町（人口四一一六人）、与那国町（人口一五五三人）の三市町の教育委員会からなる教科書用図書八重山採択地区協議会は、二〇一二年度の中学の歴史社会教科書を決定した。公民（社会）教科書として、「誇り高い日本」

を掲げる「つくる会」から分裂した「教科書改善の会」が推薦する育鵬社の教科書を選択したのである。[*41] 育鵬社の教科書は、沖縄の基地や普天間移設問題の記述は最小限にとどめ、一九四七年の平和憲法は米占領軍の押しつけであったと批判し、憲法の重点である主権在民、平和、民主主義の原則は重要視せず、代わりに日本の伝統としての皇室と明治憲法（一八八九年制定）を積極的に大きく取り扱っている。[*42]

この教科書選定には問題点が二つあった。一つはどのように決定されたかという選定の過程であり、もう一つは中身の問題、すなわち教科書が沖縄住民が共有する歴史、アイデンティティや社会観を反映しているものかということである。歴史教科書を書き換えようとするグループは、二〇〇六年に安倍政権が改定した教育基本法の精神をふまえれば、愛国心涵養が教育の目標だと主張する。それに対して、地元のメディア、教師たち、PTAは、保守系政治家と本土の「つくる会」系の関係者の動きが、育鵬社の教科書決定に大きく働いたと言う。

背景は、次のようなものだった。従来の教科書選定の方法では、育鵬社など「つくる会」系の教科書が選択されないことを見越し、石垣市教育委員会の玉津《たまつ》博克《ひろかつ》教育長が根回しして、二〇一一年の夏、教科書選定過程を変更した。[*43] 琉球新報は新しい選定方法が密室で議論され、教科書の内容比較もなく、教科書を十分読みもせず、無記名投票で決定されたことは「不透明、非民主的」だと批判した。[*44]

従来だと、経験豊かな教師たちが教科書をよく吟味して協議会に推薦し、協議会はそれに基づいて決定したが、この新しい方法では協議会の選定委員たちは全く推薦されない教科書を選択する権限を与えられないことになる。玉津は、選定方法が東京の文科省の指示に従うものだったと主張するが、一部の委員たちは、教科書の出版社も内容も知らなかったようだ。[*45]

こうして石垣市と与那国町の教育委員会は、文科省の後押しする教科書を選択したが、それに対する抗議の声が大きく広がった。反対集会が呼びかけられ、反対の署名が集められ、ＰＴＡと婦人会が動員された。二〇一一年八月、九月の世論調査では育鵬社の教科書支持は、八重山全体で二〇〜二二％だった。[*46] 与那国町では育鵬社の教科書を望まない人は、八六・七％であった。[*47] 教科書は何を優先的に取り上げるべきかという質問に、平和教育が五一・七％、次は基本的人権と平等で二一・七％、領土問題と安全保障は九・七％、日本人としての誇りと愛国は六・三％であった。[*48]

圧力をかける政府と文科省

二〇一一年九月八日、八重山地区の全教育委員が出席した教科書用図書八重山採択地区協議会の臨時総会が開かれた。石垣市と与那国町の教育長は育鵬社の教科書採択を主張し、五時間にわたって激しく議論した結果、総会は先の決定を覆《くつがえ》し、東京書籍の公民教科書を選択したのである。[*49] 二週間前に密室の協議で決定されたことが、公の場で覆されたのは、地元の民主主義の健全さがはっきりしたかたちとなって示されためずらしい例だった。そこでは、民主主義が生きていた。

沖縄県教育委員会は、八重山地区の決定は合法であり、適正なものと承認したが、石垣市と与那国町教育委員会は、不服を申し立て抗議した。彼らは東京の文科省と「つくる会」系の団体とも関係のある「日本の前途と歴史教育を考える議員の会」に応援を要請した。[*50] 文科省は、九月の臨時総会の決定に法的拘束力はないとし、三市町は八重山地区として一つの教科書を選択するよう協議再開を命じた。三市町の亀裂は深く、一つの教科書に絞るのは不可能であった。竹富町は東京書籍の教科書選択は臨時総会の決定であり、一九五六年の地方教育行政法によって町には教科書選択の権利があると主張した。対して文科省は、竹富町には教科書の無償配布を拒否し、町の費用から教科書代を払うよう命じた。文科省の推薦する教科書を選択しなかった竹富町を罰したのである。二〇一二年一二月まで、民主党政権下で暗黙のにらみ合いは続き、竹富町は我が道を行くように放っておかれた。

与那国町と石垣市は「つくる会」系の育鵬社の教科書配布を開始した。「教科書改善の会」(「つくる会」系)の高橋史朗理事は、「旧来の反戦教育ではなく、現実を見据え、どのように、領土と自衛隊を教えたら良いかということだ」と述べ、育鵬社の教科書がこれについて明確に記述していると言った。また同理事は一一月に協議会会長と会談し、育鵬社の公民教科書を選んだのは非常に重要であったとし、「戦後レジーム(平和憲法)に縛られた日本の教育に風穴を開ける機会になる」*51と、教科書を政治戦略としていることが明白である発言をしたのである。

二〇一三年一月、安倍政権は、竹富町の例外は認められないと攻勢に出た。下村博文自民党文部科学部会長は、安倍内閣の文科省大臣就任直前に次のように述べた。

「このままでは日本は衰退し、滅びてしまうのではないか」「今の民主党政権の外交防衛政策では、尖閣諸島や竹島が掠め取られてしまいます」「日本は今国家の体をなしていない」「この戦後六七年間は日本の滅びの軌跡です。立て直すのは今しかない」「戦後レジームからの脱却とは、第一義的には東京裁判史観の破棄です」*52

安倍、下村など「神道政治連盟国会議員懇談会」のメンバーが、戦後政治に不満な理由は、市民中心、反軍事的、民主的性質を持っている点にあった。安倍政権は「保守的」と誤って見なされているが、そのアジェンダは過激だ。安倍は、二〇〇六年に「美しい」日本を目標に掲げ、二〇一二年には「新しい」日本を復活させることを目標にした。その一つが、二〇〇六年の改定教育基本法を徹底させ、政府主導の教育改革を全国的に進めることにある。下村文科相は「慰安婦」や戦争時の残虐行為などの言いがかりのような「恥ずべき」中傷を抹消して、安倍の言う「美しい」日本を取り戻すという重大な責任を果たそうと奮闘している。[*53]

軍配備計画とリンクする教科書選定

「教科書改善の会」にとって、強い反戦思想を持つ沖縄の八重山地区で「つくる会」系の教科書が採択されたのは、大きい意味があった。本土では東京、横浜、東大阪、広島などで「つくる会」系教科書採択が徐々に広がっているが、まだ大勢を占めてはいない。そのようななか、竹富町の住民から見ると、特定のイデオロギーをもって教育に介入した文科省の行為は、思想の自由と国家として無償の義務教育を保障する憲法の条項に違反するものである。[*54]

二〇一三年三月、安倍首相と下村文科相は、義家弘介文科省政務官（当時）を竹富町に派遣した。教育問題に関し、国家主義的な発言で頭角を現した義家は、石垣市教育委員会に育鵬社の公民教科書を採用するように文科省として圧力をかけた張本人であった。[*55] 義家は、竹富町の決定は違法であり、文科省の意向に従って、四週間以内に教科書を決定せよと迫ったが、[*56]竹富町は拒否した。文科省の圧力が一層強くなるのは必至である。

二〇一三年九月、文科省は地区ごとの協議会が選んだ教科書を使わない竹富町に対し、地方自治体法に基づき、法的に是正要求を出すように沖縄県に指示する意向だと発表した。竹富町は、別の法律によって市町村の教育委員会に教科書採択の権利があるとされており、違法ではないし、子どもたちを混乱させる恐れもあるので教科書を変えるつもりはないと述べた。文科省は竹富町が拒否しつづければ裁判を起こすことを隠さず、裁判になれば費用の点で竹富町の財政を直撃することを見越した上での脅かしである。

以上記してきた八重山地区の教科書採択問題に対する文科省の態度は、辺野古への基地移設計画で日本政府が見せた態度と同じく、法や民主的手続きを軽視する、きわめて粗雑なものであることを見せつけた。教科書問題は、国境の島々に段階的に強化されつつある日米の軍事力配備と切り離せない関係がある。八重山諸島は過去と未来を決定する市民の闘争の場として、その結果は島の住民だけでなく日本全体に影響する。辺野古と同じように、竹富町（人口四一一六人）対日本政府の闘いは馬鹿げているほど不公平な力関係である。しかし、日本の将来は、その闘いに大きくかかっている。

5 尖閣（釣魚）諸島問題――五つの論争点

尖閣（釣魚）諸島帰属問題の起源

サンフランシスコ体制が残した矛盾をもっともよく体現するものを選ぶとしたら、日本では「尖閣」諸島と呼ばれ、中国、台湾では「釣魚」諸島と呼ばれる東シナ海に浮かぶ無人の島嶼をめぐる問題となるのかもしれない。日本、中国、台湾がそれぞれ領有権を主張し、米国の政策や国益にも深く関わっているこれらの島々は、地図上でもはっきりと確認できないほど小さい。だが、この島々がいま、およそ八〇年ほど前に「満州」と言われた中国東北部の広大な地域に寄せられた日本国民の愛着心にも匹敵するような、非妥協的で激しい国民感情を掻き立てている。

今日、島嶼は不穏な暗雲に覆われているが、明るいバラ色の未来が描かれた時もあった。二〇〇八年五月、福田康夫首相と胡錦濤主席は「東シナ海を平和・協力・友好の海」[*1]にするべきという点で合意した。そして二〇〇九年九月、日中二国間首脳会談で鳩山首相は東シナ海を「友愛の海」にしようと提案し、それに対し、胡主席は積極的反応を示したと伝えられた。[*2] 二〇一二年に台湾の馬英九総統は「東シナ海平和構想」を打ち上げた。しかし、そのような平和と協力が実現するためには領有権の問題を解決し、資源開発について合意することが必要となる。島付近に打ち寄せる日中台の荒波が穏やかにならないとその可能性は出てこない。

尖閣（釣魚）諸島は、魚釣（釣魚）、北小島、南小島、久場島（黄尾嶼）、大正島（赤尾嶼）という五つの無人島と露出した岩礁から成り立つ。最大の魚釣島は面積三・八平方キロメートルで、五島全部合わせても面積は五・五平方キロメートルにすぎない。島々は広い海域に点在し、大正島は魚釣島付近から一〇〇キロメートルも離れている。尖閣諸島という時、魚釣島付近の三島をさす場合が多いが、この三島は大陸棚の縁の比較的浅い海に位置し、琉球列島とのあいだに、沖縄トラフと呼ばれる最深二二〇〇メートルの海溝が横たわる。[*3] また、三島は中国大陸から東に三三〇キロメートル、台湾の北東一七〇キロメートル、石垣、与那国島の北一七〇キロメートルの距離にある。

一四世紀以後の中国の文献は、中国の福州と琉球の首里を結ぶ航路の目印として重要な島々であったことを記している。明、清代には特に琉球に向かう貿易船や冊封使にとってなくてはならない目印であったが、そのころ、島に住もうとする者もなく、島の領有権についてはどこも無頓着であった。日本の国境係争地で、「北方領土」はロシアの、竹島

（独島）は韓国の支配下にあり、日本が実効支配しているのはこの海域だけである。

尖閣（釣魚）諸島の帰属は、日中関係および琉球列島の歴史と密接に関連する。一八七九年に明治政府が琉球を沖縄県とし（琉球処分）、長い歴史を持つ琉球王国の「冊封制度」を廃絶した時、中国は抗議し、グラント前米大統領が日中間の調停を図ろうとした。それに対し日本は、欧米列強と同じく日本にも最恵国待遇を与えるべきだと、一八七一年の日清修好条規の全面的修正を迫ったのである。日本はその見返りに琉球を二分し、宮古、八重山諸島は中国に譲渡すると申し出た。中国はそれに対し、琉球を三分し、奄美諸島は明治政府へ、沖縄本島を含む沖縄諸島は独立王国とし、宮古、八重山など先島諸島は中国へ割譲する案を出した。[*4] つまり、日中双方とも、尖閣（釣魚）諸島に一番近い島々は中国領とすることで一致していたのである。

一八七九年初め、中国案に沿うかたちで取り決めが作成されたが、中国政府内部で反対の声が高かったため、結局採用されなかった。[*5] 当時の卓越した指導者であった李鴻章は、「琉球は中国領ではなく、日本領でもない。琉球は独立国だ」[*6] と述べたという。それから一三〇年以上が経ったが、中国政府が沖縄（琉球）の帰属について日本政府と合意したことはなく（ましてや尖閣〔釣魚〕諸島の）帰属は「未解決」だと抗議したのは、単にその歴史的事実を述べたにすぎない。[*7]

一八七九年の琉球処分の一六年後、明治政府内務省は、魚釣島と久場島を無主地であるとして、沖縄県の管轄下に置き、標杭を立てさせることを決定した。一八九五年に新進の事業家、古賀辰四郎に魚釣島と久場島を貸与した時、魚釣島近くの二小島もついでにその中に含めた。一九二六年、政府は古賀とその家族に借地権ではなく、所有権を授与した。[*8]古賀一家は全面戦争の気配が濃くなる一九四〇年ごろまで島にとどまった。一九四五年、米国は日本占領と共に、沖縄と周囲の島々とその海域を統治支配した。一九五一年のサンフランシスコ講和条約では琉球諸島の境界内に尖閣が入るよう注意深く線引きされた。しかし、一九六八年に国連のＥＣＡＦＥ（アジア極東経済委員会）が天然ガスや石油が埋蔵されている可能性を発表するまで、尖閣諸島が注目されたことはなかったのである。[*9]

一九六九〜七二年の沖縄復帰交渉時、米国は琉球に主権を移譲するが、尖閣については統治権のみを移譲するとし、尖閣は別扱いにした。[*10]サンフランシスコ講和条約では尖閣諸島については直接触れられなかったが、米国は尖閣諸島が領土問題となる可能性を密かに認識していたと考えられる。最近の研究では、米国のマキャベリ的深謀遠慮であったという説も唱えられている。カナダのウォータールー大学の原貴美恵教授によれば、尖閣諸島が係争地になれば、「中国封じ込めの楔《くさび》」となることを見越し、また沖縄近くに日中の係争地があれば、米軍の沖縄駐留がより容易に受け入れられると判断したのではないかという。[11]『「尖閣問題」とは何か』の著者である豊下楢彦教授は、米国が故意に国境を曖昧にし、[12]日中対立の火種を残すことにより、日本の長期的な米国依存と米軍駐留の継続を図ったのでは、と考える。[13]原、豊下両氏の説では、今日の尖閣問題は、米国の政策に由来することが明らかだということになる。米国の意図的行為を証明するのは困難だが、彼らの仮説には説得力がある。

「棚上げ」という暗黙の了解

尖閣（釣魚）諸島が注目されたのは現代史では二回、一九七二年と七八年であった。まず、一九七二年には、九月に周恩来首相と田中角栄首相の三回目の会談が持たれた。田中首相は尖閣問題を持ち出したが、それに対し、周恩来首相はその問題を今取り上げると日中国交正常化のプロセスを複雑にし、進まないだろうから当面「棚上げ」にするべきだと答えた。[14]次にその六年後、日中平和友好条約の交渉で来日中の鄧小平副主席は、次の世代はもっと賢明で解決を見いだすかもしれないからと述べ、[15]棚上げ方式を再確認したのである。

その後三〇年ほど、棚上げ方式はそのままで、日本側は島に管理人を駐在させたり、開発に乗り出すこともなく、時に香港の中国人活動家や日本の右派勢力が上陸する企《くわだ》てがあっても、日中両政府は暗黙のうちに協力し、阻止してきた。[16]

一九九〇年代末に内閣官房長官でもあった自民党の重鎮、野中広務は最近になって、田中首相が一九七二年当時、尖閣帰属問題の「棚上げ」合意の経緯を話してくれたのを記憶している、と語った。[17] しかし、外務省はそのような合意があったことを否定する。[18] 正式な外交協定を結ばなかったことは明らかであるが、日中会談の時、尖閣問題が持ち出されたことは、取るにも足らぬ些事《さじ》ではない。日中双方がそれぞれの立場を述べたが、日中国交正常化の妨げになることを恐れ、正式交渉はしないという選択をとったのであろう。[19] 横浜市立大学の矢吹晋名誉教授によれば、尖閣が疑いもなく固有の領土だという日本政府の主張を揺るがす可能性のある証拠になるといけないというので、外務省が一九七二年の田中、周会談の議事録を書き直し、一九七八年の園田直《すなお》外相と鄧小平副主席の議事録を「破棄、焼却」したという。矢吹名誉教授は、これを言語道断な行為だと強く非難する。[20] 信じられないような指摘であるが、二〇〇一年の情報公開法施行を前に、外務省が毎日何トンという大量の文書を破棄した事実を考えれば十分説得力がある。[21]

「固有」の領土という用語

日中の暗黙の了解で、約四〇年間尖閣問題は封じ込められていたが、二〇一〇年に事態は一変した。民主党が率いる日本政府が、尖閣で操業中に海上保安庁巡視船と衝突した中国漁船の船長を逮捕したのである。尖閣諸島は「疑問の余地なく」日本固有の領土であり、領土問題は存在しない、故に中国漁船は日本の法律に鑑《かんが》み公務執行妨害である、と主張した。しかし、これに怒った中国の激しい反応に直面し、船長を起訴せず釈放した。[*22]無念の日本政府は、ますます尖閣についての態度を硬化させたのである。

中国側からすれば、日本が二国間で係争を解決する外交的な努力は一切せず、米国も巻き込む安全保障問題にまで拡大させたことに驚いたにちがいない。「日本国施政下にある領域」が攻撃された場合、米国は日本への防衛義務を負うという安保条約第五条が尖閣に該当するという言質《げんち》を、米国から取り付けることに日本は躍起になったのである。日本の強い要望を受け、ヒラリー・クリントン国務長官は二〇一〇年一〇月、尖閣諸島問題は五条に該当すると明言し、[*23]この問題は二〇一三年度の国家防衛権限法（National Defence Authorization Act）に盛り込まれ、二〇一二年一一月二九日に上院で可決された。[*24]

しかし、米国は「尖閣諸島における日本の施政権」を認めるが、領有権に関してはどちらにもつかないという立場を変えていない。[*25]米国は、尖閣がどこに帰属するか関知しないが、日本が領土というならば米国は戦争の用意があるということになる。一九七一年に米国は、尖閣諸島について、島々は安保条約の対象である、しかし米国は日中のいずれにもつかないと述べた時も、今と全く同じ態度であった。ヘンリー・キッシンジャーが「ナンセンス」とコメントしたという。[*26]

一九世紀まで日本本土ではほとんど知られていなかった尖閣諸島が、今では、言うまでもない日本「固有」の領土であるという日本国民のコンセンサスがある。「固有」という言葉には厳密に同じ意味の英語はないし、国際法上にもそのような概念はない。[*27]またほとんどの場合、領土の論議にはなじまない異質な言葉である。「固有」という言葉は、一九七〇年ごろ、南千島のいわゆる「北方領土」と呼ばれる島々の帰属を主張する日本が、修辞の上でも日本の立場を補強するために作り出したと伝えられる。[*28]それが東アジア文化地域に広まり、日本、韓国、中国の領有権主張は譲歩が排除された「絶対」的な装いをまとったものになってしまった。海洋に関しては例外があるが、国境には絶対とか、神聖不可侵というものはないという近現代史の教訓の一つがかすんでしまったのである。

日中戦争前と酷似する状況

二〇一二年四月、石原慎太郎東京都知事は、ワシントンのヘリテージ財団での講演で、将来中国や台湾が領有権を主張する余地を残さないように、尖閣諸島のうち、私有地である魚釣島とそれに隣接する北小島、南小島を買い取る交渉中であると語った。[*29]石原は、尖閣諸島全部をひっくるめているように聞こえるが、久場島（黄尾嶼）、大正島（赤尾嶼）のことは完全に無視している。この二島は米軍が射爆場として五〇年以上使用しているが、日本政府も東京都もこの二島を返せと要求したことも、文句を言ったこともない。

二〇一〇年、衆議院で大正島、久場島を返還させる努力がなされないのはなぜか、という質問が出された時、米国が「返還の意図を示したことはかつてない」[*30]という答弁がなされた。つまり、米国の方から日本が返還を請求することを許すと最初に示唆してもらえないうちに、返還を求めるのは恐れ多いというわけであった。外国が島を占領し、爆撃で島を粉々に粉砕しようとも、「外国」が米国である限り、「固有」の概念に適合するらしい。中国には強気に出ても、相手が米国だと勇気が消え失せてしまうようである。

さて、「支那を中国と呼びかえる必要がどこにある」とか、中国の行動は「半分くらい宣戦布告みたいな話だ」とか、中国は「強盗に入るのを宣言した」[*31]「太平洋の覇権を狙ってその一つとして尖閣諸島を取ろうとしている」[*32]とかいった石原の放言は一部の国民の喝采を受けた。この発言は、尖閣が「疑問の余地なく」日本の領土であり、領土問題は存在しない、中国は日本固有の領土を脅かし、中国の挑戦は米国との軍事同盟の重要さを再認識させる、というコンセンサスを固める作用をしたのである。日本のメディアが「尖閣」という時、「歴史的にも国際法上も日本固有の領土」とか「日本の固有領土の一部」という前置きが慣用句になっている。[*33]

石原の挑発的言動を背景に、二〇一二年の夏、東シナ海は騒然とした。それぞれのグループがそれぞれの国旗を掲げて島に上陸、あるいは上陸を試みたのである。二〇一二年七月七日は、日中戦争開始から七五周年にあたっていた。その七月七日、野田首相は日本政府が三島を購入して国有化することを発表した。続いて、島の防衛のため、自衛隊を配備すると発表した。九月に二〇億五〇〇〇万円で「国有化」を実行、国連総会で島々は「日本固有の領土」であり、領土問題はない、従って交渉の必要もない、と宣言した。[*34] 尖閣諸島の他の二島についてはふれられなかった。

これを受けて、香港をはじめ、中国各地の都市で、日本の尖閣諸島国有化反対デモが次々と起こった。日本車をひっくり返す、日本レストランや商店を襲撃する、日本製品を踏んづけて壊すといった行為などが頻発し、観光客や留学生の渡航、ビジネス上の交流が停止された。秋になると、安倍晋三自民党総裁が衆議院選挙を前に、「日本を、取り戻す」というスローガンを掲げ、「固有」の領土である尖閣を一ミリたりとも譲るつもりはないと誓約した。[*35] 尖閣には領土問題は存在しない、従って議論も交渉の余地もないという姿勢を、安倍は次のように記している。

「この問題に外交交渉の余地などありません。尖閣海域で求められているのは、交渉ではなく、誤解を恐れずに言えば物理的な力です」[36]

これに対し、鳩山元首相は北京訪問中に次のように述べた。

「歴史を見れば係争地はあります。『全く領土問題はない』と言い続ければ決して返答はもらえないでしょう」[37]

安倍内閣の小野寺五典防衛相は鳩山を「国賊」と決めつけた。[38]

二〇一三年の日本政府の非妥協的な言葉は一九三七年当時の近衛文麿内閣を思い起こさせる。日中戦が全面戦争へと転げ落ちて行く歴史の決定的な数カ月間、近衛は蔣介石を「相手にせず」として頑として交渉しようとしなかった。当時の新聞、ラジオは、そろって「日本は正しい、支那（中国）の（皇軍による内政干渉反対の）要求は不当で挑発的だ」と決めつけた。[39]最近の日本のメディアとそっくりではないか。中国側からすると、日本政府の尖閣購入、国有化は、明らかに挑発的に見えたに違いない。

同年五月、人民日報は「釣魚諸島」について、重要な歴史的懸案であり帰属を再検討すべきだと述べた。安倍の「物理的な力」という脅迫の数カ月後、中国人民解放軍の羅援少将は「釣魚諸島問題の解決は総体的に国力を強化することにより、尖閣海域に軍を配備し、必要とあらば主立った三艦隊を結集して鉄拳とし、日本の刀を受けて立つ」と宣言した。[40]

二〇一二年暮れの総選挙で、「誇りの持てる新憲法の制定」と「靖国の英霊に対する国家儀礼の確立」を目指す神道政治連盟の信奉者が多数を占める安倍政権が誕生したことによって、中国やアジア全体に警戒心が喚起された。[*41]政権は、南京虐殺や「慰安婦」問題を否定し、強い軍事力の日本と改憲を目指す。米政府内にも、安倍のネオナショナリズムと歴史修正主義（皇軍の侵略や犠牲になったアジア女性の存在否定）は「対立的」で「米国の国益を損なう」のではないかという懸念が広がった。[*42]

二〇一三年一月、クリントン国務長官が岸田文雄外相との会見で、日中間に係争地は実際に存在するのだから中国と膝を突き合わせて交渉したらどうか、と述べたのは叱責に近い。[*43]その後、安倍は発言も政策も和《やわ》らげたが、二〇一三年二月末、安倍がワシントンを訪問したさいには、大統領との夕食会もなく、共同記者会見さえもなかった。共同声明は、安倍が希望していた日本の尖閣領有権には何もふれなかった。[*44]米国政府の最優先アジェンダはTPPであり、声明はそれに終始した。日本は、現在でも十分に米国の属国であるが、TPP加盟によって、日本の政策は軍事から経済、社会面まで米国に徹底的に縛られるものとなる。同盟は強化されたと述べた安倍一人の記者会見には、悲壮感さえ漂っていた。はたして、衰退しつつある米国との同盟を恒久化することが、愛国心の表現なのだろうか。

中国の真意はどこにあるか

中国も台湾も主張する。明、清の文献から歴史的に見ても島々は中国の領土の一部である、中国大陸の大陸棚の先端部に位置するという地理的条件からも島々は台湾の領土の一部である、と。日清戦争の戦利品として違法に横取りされたものであり、ポツダム宣言を受け入れたからには、中国に返還されるべきだという。

中国は、東シナ海でも南シナ海でも領土拡張政策を取り、貪欲《どんよく》に領有権を主張していると一般に考えられている。しかし、中国が世界中で海洋も資源も漁《あさ》っているという印象を持たれ、世界が中国を警戒している一方で、国連海洋法条約(UNCLOS)による海洋分割は、ほとんど注目されていない。一九八二年の国連海洋法会議で、元列強の国々が中心になって、海洋と海洋資源についてこの条約が採択されたが、海洋支配の最大の受益者は、米国、英国、フランス、オーストラリア、ニュージーランド、ロシアで、日本はそれに続く。[*45]日本は尖閣の帰属がどうなろうとも、海洋大国としての重要性がますます高まっている。

中国は、一九、二〇世紀に行われた太平洋の島々や陸地の分割に関わることができず、近年の海洋資源分割、支配の分け前にも与《あずか》らなかった。[*46]そのため海洋資源の指標では、モルディブとソマリアのあいだに位置し、世界三二位であるが、[*47]それに対して日本は「排他的経済水域」では六位、さらに海の深さなどを考慮して海水量も計算すると、世界四位の海洋大国だと言われる。[*48]水酸化メタン、希土類、貴金属や工業用金属資源が尖閣諸島付近を含め、あちこちの海底に大量に発見され、隠れた海洋資源大国である可能性が高い。[*49]しかし、中国は海洋資源という点では比較的小国なので、尖閣（釣魚）諸島のように、中国の主張に根拠がある場合、譲らない決意は固いと思われる。

一九六八年にECAFEが尖閣（釣魚）諸島の海底に石油、ガスが埋蔵されている可能性を報告してから四〇年以上がたった。日本のある情報によれば、石油とガスの埋蔵量は一〇〇〇億バレルで、およそイラクの埋蔵量に匹敵するという。その海域には、[*50]石油やガスなどのハイドロカーボンがあるのかもしれないし、ないかもしれない。しかし、現実にあるとしても、開発にあたって周りの敵意や反感を無視して実行できるものか疑問が生じる。仮に日本が石油掘削に成功しても、沖縄トラフを経由し、日本本土まで石油を運ぼうとすれば、まるで中東の石油をヒマラヤ経由で日本に運搬するほどの労苦を伴う。しかし、大陸棚の縁から中国東部の市場に運ぶのには何の問題もないだろう。[*51]政治的配慮とは別に、技術的にも非常に難度の高く、リスクも大きい事業には、複数の国や金融グループの協力がどうしても不可欠になってくる。

事態は差し迫っている

尖閣（釣魚）諸島の領有権問題については、以下の五つの論争点がある。

まず、尖閣と言えば、記憶にないほど昔から琉球の一部だったという思い込みがあるが、沖縄県が制定された一八七九年には、尖閣は琉球諸島三六島の中に含まれていなかった。一八九五年に沖縄県に編入されたが、京都大学の井上清教授がおよそ四〇年前に「釣魚諸島は、台湾のように、講和条約によって公然と清国から強奪したものではないが、戦勝に乗じて、いかなる条約にも交渉にもよらず、窃《ひそ》かに清国から盗み取ることにしたものである」[*52]と述べたように、領有の経緯に問題がある。二〇一二年九月、エコノミスト誌も「日本の領有権主張にどんな法的根拠があるにせよ、その根源に残虐な帝国建設がある」とコメントした。[*53]

第二は、一九五一年のサンフランシスコ講和会議で、当事者の主要国が欠席したまま、曖昧なかたちで領土が決定されたことが、今日の激しい対立の原因の一つとなっている点である。このまま日本が「領土問題は存在する」ことを認めないという姿勢をとり続ければ、最終的には武力衝突の方向へ向かうしかない。係争地はあると認めることを先に延ばせば延ばすほど、もっとひどく面目を失うことになる。最終的には、米国の圧力で認めざるをえない羽目になる可能性が大きい。

三番目は、問題が単に領土問題というだけではなく、歴史に深く根ざしていることである。日本人は忘れがちだが、中国人には忘れることができない歴史がある。日本が長いあいだなおざりにし、また十分な償いをしてこなかった戦争責任の問題が「尖閣」問題に反映している。政府の最高レベルでの南京虐殺の否定、アジア全域で皇軍の性奴隷とされた「慰安婦」への法的責任の否定、また絶えず日本の戦争責任はなかったように教科書を書き直そうとする動き、恒例となっている首相や国会議員の靖国神社への集団参拝などに対する中国の猜疑心《さいぎしん》が、「尖閣国有化」宣言によって日本への憤懣へとエスカレートしたのである。[*54]

第四に、日本の指導者層とメディアが、中国の立場を正しく評価することも、自らを批判的に省みる能力も失ってしまったのではないかという懸念である。中国は脅威であり、「異国」であると描き出す一方、中国の尖閣（釣魚）領有権主張の背景にある、日本に対する猜疑心には全く注意を払わない。一九七二年と七八年の、尖閣問題は「棚上げ」にするという了解を一方的に反古《ほご》にしたことに何の責任も持たないし、了解があったという事実さえも否定する。[*55] 日本の主張は言葉を弄《もてあそ》び、不明瞭であり、作為的である。しかし国内には、日本の立場が「国際法上からしても、十分吟味に耐える、確固としたもの」なのかと疑問を持つ者は少ない。[*56]

第五に、日本にとって尖閣諸島は、東北アジア地域のみならず世界的にも、日本の役割を定義する上で重要な鍵になる。地域の協調的な秩序建設のために努力する国家になろうとするのか。それともかつてのニクソンショックの時のように、米国がアジア第一のパートナーとしての地位を日本から中国に移す日が突然訪れることを恐れながらも、米国の属国として中国包囲の構想に協力するのか。

冷静な議論を許さない「固有」の領土の詭弁とごまかしを、ひとまず脇におく。それだけでも、いまの日本人にとっては「精神の大革命」が必要だ。[*57] しかし、事態は差し迫っている。二〇一三年半ば、中国が「棚上げ合意」を再検討することに意欲を示したことは、双方が頭を冷やし、譲り合って何とか合意に達するために話し合う機会となろう。[*58]

表面的にはどれほど手に負えない問題に見えても、かつて福田康夫首相や鳩山由紀夫首相が胡錦濤主席らと東シナ海の明るい前途を語ったように、案ずるより産むが易し、ということもある。少なくとも原則的には、ただ心配するよりも行動に移したほうが危機の回避は簡単かもしれない。領有権解決の可能性はゼロであろうから、さしあたって領有権については、一九七二年から二〇一〇年までのような棚上げ方式に戻し、同時に島嶼付近の開発について、積極的に協力し合う姿勢を確認することはできる。二〇一二年の尖閣購入・国有化宣言によって危機が引き起こされるまで機能していた漁業や資源に関する了解はほとんどが凍結状態だが、それを復活させ拡大することもできるはずだ。

本土とは違う沖縄の思い

領有権を主張する三国に挟まれ、沖縄は特に微妙で危うい立場にある。沖縄近くの海域での領土争いがどれほど危険なものか、沖縄の人たちは骨身に沁《し》みてわかっている。尖閣防衛の戦争は、「第二次世界大戦の時の沖縄戦の再現だ。被害者はまたしても我々沖縄人になる」と比屋根照夫琉球大学名誉教授は指摘する。*59

沖縄県民の尖閣諸島への思いは、本土とははっきりと違う。沖縄は武力的解決に断固として反対する。中国を敵に回せば、自分たちは安全ではないと確信しているのだ。そして、中国との長い友好的交流に思いを馳《は》せて、「固有」の領土という言葉の代わりに沖縄を中心とした「生活圏」を語る。そこは、親善のシンボルとして日本、中国、台湾が共存共生する空間になる。沖縄は「アジアの平和の拠点」になることを希求する。*60 さらなる軍事化を推進してきた政府の計画を何十年と妨げてきた沖縄の草の根の民主主義を広げ、東シナ海の新しい未来を話し合うことができたらと願っている。国民国家を相対的に捉え、国境を越えた協力関係を作るという展望は、尖閣（釣魚）諸島問題を解決する最良の道に聞こえるし、それは「パックス・アジア」、つまりアジア共生圏の誕生の兆しでもあるのだ。

6 辺境の島々と北朝鮮——「正常化」交渉の挫折と核実験

消えた「平和と協力の海」構想

国境近くの沖縄住民にとって、平和と安定のためには、日中間の和解だけではなく、朝鮮半島の緊張緩和も重要な意味を持つ。半島の正常化は、六〇年以上前に始まった朝鮮戦争が正式に終結することによって初めて可能になる。半島の「正常化」交渉が挫折するたびに、また北朝鮮がミサイル発射や核実験をするたびに緊張が高まる。緊張は米軍基地や安保同盟の存続を正当化するのに役立つだろう。それがまた北朝鮮には脅威と映り、北朝鮮をミサイルや核開発にいっそう駆りたてる。東シナ海には悪循環の波紋が大きく広がる。

二〇〇八〜〇九年に東シナ海を「平和と協力、繁栄の海」にする話が出ていたころ、日中関係の修復は容易に見えた。その前の二〇〇七年、朝鮮半島の南北の指導者たちが、激しい衝突を繰り返してきた西海（黄海）を平和と協力の海にしようと一致・合意した時[*1]にも、楽観的予測が広がった。同年の北京における六カ国協議では、エネルギー援助、制裁解除、国交「正常化」、つまり平和条約を約束してくれれば、北朝鮮は核施設を無能力化し、国際監視団を受け入れ、核開発凍結、最終的には廃棄してもよいと述べた。当時はそのような取引は達成可能に見えたのである。

しかし、韓国では二〇〇八年に、日本と米国では二〇〇九年に政権交代が起こり、楽観的雰囲気は消え、かえって緊張感が着実に高まった。北朝鮮の核実験（二〇〇六、二〇〇九、二〇一三）と長距離（ミサイル）ロケット実験（二〇〇九、二〇一二）と人工衛星打ち上げ（二〇一二）は、全世界から非難された。二〇一〇年三月の韓国軍艦天安沈没事件と同一一月の韓国領延坪島事件も北朝鮮の責任だと非難された。[*2] 二〇一三年二月の北朝鮮の第三回目の核実験と三月の朝鮮戦争休戦協定の白紙化宣言は、北朝鮮政権の緊張感がますます高まっていることを伝える。

緊張緩和のために何が必要かと言えば、議論するまでもなく、北朝鮮の包括的平和と国交正常化協定の二点であることは明白だ。一九四五年から四八年にかけて、米軍主導の国連軍政下で行われた朝鮮半島分断は、サンフランシスコ条約の時と同じ、分割・統治の思考様式の表れだった。しかし朝鮮半島における分割は日本の場合より、はるかに重大な結果をもたらした。北朝鮮は停戦協定ではなく平和協定により、はっきりと朝鮮戦争に終止符を打ち、米国および日本と国交正常化に漕《こ》ぎ着けるまでは、核開発を放棄しないと固く決意しているようだ。北朝鮮を脅迫し、核廃棄を承服させようとしても、かえって北朝鮮政権は臨戦態勢をとり、長い辛苦に耐えてきた国民に対し、政権が自らを正当化する口実を与えるだけであろう。二〇一〇年末、ジミー・カーター元大統領は次のように分析している。

「米国との直接対話のあいだ、平壌は一九五三年の『一時』停戦にかえて、恒久的平和条約に同意してくれれば、核開発計画をやめＩＡＥＡの査察下におく用意があることを一貫して伝えてきた。我々は彼らの提案に何らかの反応を示すべきだと考える。そうしなければ、北朝鮮は彼らが最も恐れる米国の武力攻撃と政権交替から政権を守るため、どんな行動も辞さないだろう[*3]」

交渉よりも強硬措置を選ぶ日本

沖縄ははからずも、南北朝鮮の人工衛星打ち上げ競争の煽りを受けてしまった。二〇〇九年と一〇年には両国が失敗し、二〇一二年の暮れには北朝鮮が成功、そして二〇一三年早々には韓国が成功した。両方のロケットは、沖縄の南西諸島の上空を南方向へ飛ぶのが決まりだった。日本では韓国の打ち上げには全く警戒心も注意も払われなかったが、北朝鮮の打ち上げには自衛隊が動員された。国連安保理事会は、韓国の打ち上げには無頓着であったのに対し、北朝鮮には国際法上、宇宙調査の権利はないと非難を浴びせた。日本政府は、北朝鮮と交渉するより武力による強硬的措置をとることに一貫してもっとも熱心だった。米・日・韓の軍事協力をより緊密にして、北朝鮮に対して軍事的圧力を高めることを何よりも歓迎したのである。

二〇一二年の三月、北朝鮮が打ち上げ予定を発表すると、日本政府は、ただちにMD(Missile Defence)システム配備を決定した。「破片落下など万一の場合」を想定して東シナ海と日本海にイージス護衛艦三隻を送り、石垣、宮古、沖縄本島に迎撃ミサイルPAC3を配備した。安全確保という理由で、戦後初めて武装した制服自衛官が、石垣島には五七〇人、宮古島に一七〇人派遣されたのである。[*4] 国境に一番近い島々は日米両軍のかつてない宣伝の舞台となった。一二月の打ち上げのさいにも、同じ大演習が繰り返されたが、四月の配備、機動訓練の効果は明らかであったと伝えられる。

MDシステムがはるかに高い日本の上空を飛び去る物体に対し、どれほど有効なものか疑わしい。しかし、「ミサイル」騒動は北朝鮮への恐怖感と反感を煽り立て、着々と進む米・日・韓軍一体の戦争大演習から目をそらす効果があった。[*5] また、言うまでもないが、南西諸島への自衛隊配備計画にとっても追い風となったにちがいない。防衛専門家のトップ、柳澤協二元官房副長官補は、MDシステム配備は軍事的には意味がないが、恐怖と不安感を生み出すことで、離島の住民が駐留軍に慣れる効果があると述べた。*6

何回も失敗と挫折を繰り返してきた北朝鮮との交渉も、一見成功したように見えるサンフランシスコ体制も、遅かれ早かれ再検討、再交渉しなければならない。東アジア地域の将来の構図を具体的に考える必要がある。

7 「辺境」は「中心」へ

アジア地域主義の道

沖縄諸島を含め、東シナ海に長い弧を描く沖縄の島々は、その時々の歴史に翻弄されつづけてきた。日本本土には全くそのような経験はなく、沖縄に対する理解は薄い。沖縄は日本やその周囲全体でますます激しさを増す闘争の最前線に立っている。長いあいだ、本土から周縁の地と考えられてきた沖縄は、過去をどう理解するか、未来とどう向き合うか、植民地主義、戦争、冷戦と軍事衝突の遺産をどう克服するか、という難問に直面している。二度と「本土の捨て石」になることなく沖縄が生き残るためには、冷戦期の米国の戦略におけるアジアの「要石」としての役割から、日本と近隣諸国の「架け橋」となる道を見いださなければならない。[*1]「パックス・アジア」構想は、沖縄を「周縁」から「中心」に押し出す。

これまで、国家という枠組みの中で翻弄されてきた東シナ海の島々の状況を見てきた。これらは、すでに記してきたとおり、「根本的問題」としてのサンフランシスコ体制が生んだ「矛盾」として現在顕在化し、東アジアの不安定要因となっている。

本章の最後に、これら島々がいま問いかける問題を見つめなおしながら、日本がこれから進むべき道を考える。

協力か、軍事化か

尖閣（釣魚）諸島をめぐる二〇一二年の出来事は、世論というものが、どんなに容易に煽り立てられるものであるかを見せつけた。日本、中国、台湾のどの国であれ、自分だけが正当に尖閣（釣魚）諸島の領有権を持つという主張をしているかぎり、東シナ海が「平和と協力、そして友愛の海」に変わることはないだろう。日本のメディアも世界のメディアも、中国が「ますます了見が狭くて、虎視眈々と自分の国益だけを狙う、国家主義の権化《ごんげ》」になっていると非難する。[*2]尖閣（釣魚）諸島や南シナ海での係争は、中国の世界に向けた「挑戦」だと捉えられる一方で、[*3]日本政府の非妥協的、好戦的論調について触れられることはあまりない。そのような中、沖縄の軍備を増強し、日米による中国封じ込め策の要塞とするべく着々と行動をとる一方で、日本政府は玉虫色の「基地の負担軽減」を口にする。

領有権問題の向かう先は、次のどちらかである。一つは、地域全体の合意に基づく了解のもと、周囲の国家と住民の利益になるような平和と協力体制作りの一環として解決を見ること。もう一つは、国家間の反目が募り、対立と軍事化がさらに高まること。前者が困難だとしても、せめてもの最低ラインとしては、琉球大学の嘉数啓名誉教授が言うように、東シナ海をどんな国でも、ミサイル打ち上げも含め軍事演習などあらゆる軍事関係での使用を禁じる「武器禁止水域」とするべきだろう。*4 二〇一〇年いらい、日本の国土防衛計画は、国境海域での中国との対立激化をあげて、自衛隊の存在感を高めることを要望してきた。二〇一二年一二月、安倍政権になると、その傾向は加速した。

沖縄県民は安倍首相誕生に危惧を抱いた。「みんなで靖国神社に参拝する国会議員の会」「明るい日本・国会議員連盟」「神道政治連盟国会議員懇談会」などの議員連盟のメンバーであり、改憲と基地再編の推進者であり、「愛国心、郷土愛というものを尊重し」「日本の伝統文化に誇りを持てる教科書づくりのために」検定基準を抜本的に見直し、尖閣問題の解決には、交渉ではなく「物理的」な「力」が必要と言った安倍首相は、沖縄県民の目にどう映ったのだろうか。安倍内閣の支持率が七〇%を記録し、沖縄県民の圧倒的反対の声にもかかわらず、辺野古の新基地建設を断固として進める首相の態度を、国民の半数以上が積極的に評価すると答えたことは、沖縄にとっては不気味なことであった。[*5]

アジアを視野に入れた新しい沖縄のアイデンティティを作り上げるには、一世代前の人々のアイデンティティが形作られた時期に、アジア地域と沖縄が遭遇した惨禍《さんか》にしっかり向き合う必要がある。

韓国の朴槿恵大統領は就任前夜、「韓国、日本、中国の世紀の和解と大連合」による「東北アジアの平和と協力イニシアティブ」構想を語った。そして、日本が「歴史を正しく」認識することが「アジアの立派な一流国」として近隣諸国に歓迎されるための必須条件であることを強調した。[*6]同じことは、どの国についても当てはまる。

現存の国境を越え、地域社会中心のアイデンティティを形作るためには、外国にはない「ユニークな文化」や「民族性」を具象化した国民国家の概念を再考することが求められる。[*7]それは安倍首相が鼓吹する「誇りある国」を取り戻すということとは正反対の極にある。[*8]

折にふれ、日中対立の火種が内包されたサンフランシスコ条約や軍事同盟の枠組みを超えた先駆的提案がなされてきた。民主党政権の最盛期、小沢一郎は政財界を代表する総勢六〇〇人の日中交流使節団を率いて北京を訪問した。日中の協力、友好ムードが最高潮の時である。この時の動きは、領有権の問題を超えて、共同で資源開発を行うことから始まって、ある種の地域共同体へ移行することが可能であるような日中関係の前途を示唆していた。しかし、その雰囲気は長続きせず、二〇一三年の今、それはずっと遠い昔のことのように見える。

真の「戦後レジームからの脱却」

二〇一三年、日本政府は国境の島々の「防衛」に焦点を置くと発表した。このことから島民は、本土攻撃をできるだけ引き延ばすため、沖縄が米軍の上陸と攻撃の矢面に立つことを強いられた一九四五年四月に、何が起こったかを思い出す。また、安倍政権のＴＰＰ推進政策は、どこよりも沖縄にその影響が大きく、沖縄経済全体は壊滅的打撃を受けるのではないかと強い警戒の念を抱いている。自衛隊配備が予定されている与那国島の人たちは、どれほど強力な軍を持ってきても、関税撤廃によって島特産の砂糖と漁業を守ることはできないと悲観的だ。

現代日本には、沖縄のように県民が結束して、「ノー」を突きつけた前例はない。地元の意思を無視し、日米政府の合意だからと、新たな米軍基地建設を押しつけようとする動きを、県民は一九九六年いらい拒否し続けてきた。民主的憲法の原則を大切にするより、米国の軍事的、経済的戦略を最優先させる政府に対する沖縄県民の抵抗は実に根強く、したたかなものである。

「沖縄問題」解決のための努力は、何よりもまず、麻生太郎自民党政権の末期に米国と取り交わした、大浦湾を埋め立て辺野古に新基地を建設する計画を白紙に戻し、米国と再交渉すること、そしてオスプレイも含め「沖縄の基地負担軽減」を具体的に目に見えるかたちで沖縄県民に示すことから始まる。[*9] また、何よりも戦後日本政府が踏襲してきた米国依存の精神を捨て、政府も国民も自立することが必要であろう。安倍晋三首相とは違ったかたちの「戦後レジームからの脱却」と、「日本を取り戻す」努力が市民の責務である。

「積極的平和主義」の国の「平和隊」

安倍首相は二〇一三年九月下旬、国連総会出席のため訪米し、数カ所で演説した。「積極的平和主義」を掲げ、世界の安全保障に貢献する決意を語ったのである。この「積極的平和主義」という言葉は好ましい印象を与える。紛争解決の手段として武力を放棄することを宣言した日本国憲法を世界に誇示し、平和憲法を採用するよう、また核や通常兵器の削減や撤廃を、世界の国々に安倍首相が積極的に訴えるのではないかと期待感を起こさせるのである。

しかし、安倍首相は集団的自衛権の行使、国家安全保障会議の設置に強い意欲を示し、安倍政権になってから一一年ぶりに防衛予算が増額したことに言及し、米国の要求するような、米軍と肩を並べて戦争に参加する国へと踏み出したことを宣言したのであった。安倍式「積極的平和主義」とは、米国が要求すれば、平和のため日本も積極的に参戦することであった。

今まで積極的に憲法第九条を廃棄あるいは骨抜きにしようとしてきた安倍首相が、日本を「積極的平和主義の国」として、世界に売り込む姿を目の当たりにして、日本国憲法の平和条項を擁護したい人々が、苦々しく思うのは当然である。

基地負担軽減の言葉とは裏腹に「軍事第一」「基地第一」主義を押しつけられてきた沖縄では、その思いはさらに強烈であろう。

ジョージ・オーウェルの『1984年』の中に、真理省が「戦争は平和である」と述べた有名な箇所があるが、安倍首相が「積極的平和主義」に続いて、次は自衛隊を「平和隊」と改称する日は遠くないと思われる。

沖縄は古《いにしえ》から「命《ぬち》どぅ宝《たから》」という格言を伝え続けてきた。命こそ宝であり自分の命も他人様の命も大切であるという意味だ。琉球王国は、軍隊を持たなかったのである。

そのような理想だけでは、現代に生き残れないのか。

次章では、サンフランシスコ体制成立から六〇年以上をへた、東アジアの現在について語り合う。

注 1

＊1 Minutes, Dulles Mission Staff Meeting, January 26, 1951, Department of State, *Foreign Relations of the United States,* 1951, vol. 6, pp. 811-815, at p. 812.

＊2 一例として豊下楢彦『安保条約の成立――吉田外交と天皇外交』岩波新書、一九九六年、一三〇頁参照。

＊3 ダレス宛の天皇書簡、一九五〇年八月、同前一六四頁。

＊4 Paragraph 1 of the Secret Memo of February 3, 1946, headed "Copy of pencilled Notes of C-in-C handed to me on Sunday 3 February 1946 to be basis of draft constitution," University of Maryland.

＊5 前者は一九四七年五月三日新憲法発布の三日後の天皇発言、豊下、一四四頁。後者は一九四七年九

月、同二二二頁。
*6 サンフランシスコ平和条約、一九五一年九月八日、第三条。Kimie Hara, "The San Francisco Peace Treaty and frontier problems in the regional order in East Asia: A sixty perspective," *The Asia-Pacific Journal: Japan Focus,* 2012（http://japanfocus.org/-Kimie-HARA/3739/）も参照。
*7 外務省「日本外交文書　サンフランシスコ平和条約　調印・発効」。(http://www.mofa.go.jp/mofaj/annai/honsho/shiryo/bunsho/h20.html/)
*8 孫崎享『戦後史の正体　1945－2012』創元社、二〇一二年、一一七－一一八頁。
*9 「CIA：緒方竹虎を通じ政治工作　五〇年代の米公文書分析」『毎日新聞』二〇〇九年七月二六日。
*10 詳細は、ガバン・マコーマック、乗松聡子『沖縄の〈怒〉――日米への抵抗』法律文化社、二〇一三年、四八－四九頁。
*11 「日本国とアメリカ合衆国との間の相互協力及び安全保障条約」一九六〇年一月一九日。
*12 守屋武昌（二〇〇三－二〇〇七年の防衛事務次官）の発言。春原剛『同盟変貌――日米一体化の光と影』日本経済新聞出版社、二〇〇七年、六四頁より引用。
*13 軍事アナリストの小川和久の発言。Mitsumasa Saito, "American Base Town in Northern Japan: US and Japanese Air Forces at Misawa Target North Korea," *Asia-Pacific Journal: Japan Focus.* (October 4, 2010, http://japanfocus.org/-Saito-Mitsumasa/3421)
*14 ガバン・マコーマック『属国――米国の抱擁とアジアでの孤立』凱風社、二〇〇八年、第五章。
*15 村田良平『何処へ行くのか、この国は』ミネルヴァ書房、二〇一〇年、一六一頁。
*16 在日米国大使館「日米経済調和対話」二〇一一年。

(http://japanese.japan.usembassy.gov/j/p/tpj-20110304-70.html)

＊17 孫崎『戦後史の正体』および『アメリカに潰された政治家たち』小学館、二〇一二年。

＊18 「後藤田正晴元副総理インタビュー」朝日新聞、二〇〇四年九月二一日。また、村田前掲書、八八頁、一六一頁。

＊19 「奴隷根性丸出しの安倍首相」二〇一三年二月二四日、孫崎享のツイッターでの発言より。(https://twitter.com/magosaki_ukeru/status/305789585982636033)

＊20 鳩山由紀夫「『鳩山の乱』（沖縄の〈怒〉）を読んで」（鳩山由紀夫元首相からの『沖縄の〈怒〉』第五章「鳩山の乱」へのコメント）二〇一三年五月一六日。(http://peacephilo-sophy.blogspot.jp/2013/06/blog-post_5444.html)

＊21 孫崎享『日米同盟の正体——迷走する安全保障』講談社現代新書、二〇〇九年、一〇七－一一〇頁。

＊22 内閣府「自衛隊・防衛問題に関する世論調査」二〇一二年。(http://www8.cao.go.jp/survey/h23/h23-bouei/2-6.html/)

＊23 "China corrects Japan on treaty's Diaoyu implications," *People's Daily*, 31 May 2013. (http://english.peopledaily.com.cn/90883/8265411.html/)

＊24 http://ja.wikipedia.org/wiki/白村江の戦い.

＊25 Leon Panetta, Secretary of Defense, United States, "The US Rebalance Towards the Asia-Pacific," Keynote presentation to the First Plenary Session, The 11th IISS Asian Security Summit The Shangri-La Dialogue, Singapore, June 2, 2012. (http://www.iiss.org/conferences/the-shangri-la-dialogue/shangri-la-dialogue-2012/speeches/first-plenary-session/leon-panetta/)

＊26 “China’s Military Rise–The Dragon’s new teeth,” *The Economist*, 7 April 2012.

＊27 Demetri Sevastopulo, “US plans to boost Pacific naval forces,” *Financial Times*, 2 June 2012.

＊28 Anton Lee Woshik II, “An Anti-Access Approximation: The PLA’s active strategic counterattacks on exterior lines.” China Security, Issue 19, March 2012. (http://www.chinasecurity.us/index.php?option=com_content&view=article&id=487&Itemid=8)

2

＊1 詳細は、マコーマック・乗松『沖縄の〈怒〉』第一章。

＊2 郭南燕、ガバン・マコーマック編『小笠原諸島――アジア太平洋から見た環境文化』平凡社、二〇〇五年。

＊3 詳細は、マコーマック・乗松『沖縄の〈怒〉』四八－六二頁。

＊4 詳細は、同前、一九二－一九七頁。

＊5 西山太吉『沖縄密約――「情報犯罪」と日米同盟』岩波新書、二〇〇七年、二頁。

＊6 マコーマック・乗松、前出、七七頁。

＊7 同前、一一一－一一二頁。

＊8 「識者評論『普天間』公電を解く（3）日米関係のひずみ露呈」『琉球新報』二〇一一年五月九日。

＊9 「県、『国際都市』を決定」『琉球新報』一九九六年一一月一一日。

＊10 Glenn D. Hook, “Responding to globalization, Okinawa’s Free Trade Zone in microregional context,” in Glenn D. Hook and Richard Siddle, eds, *Japan and Okinawa: Structure and Subjectivity*, London, RoutledgeCurzon, 2003, pp. 39-54, at p.50.

＊11　「鈴木宗男氏が初証言　沖縄知事選に官房機密費三億円」「ＮＥＷＳ23クロス」（ＴＢＳテレビ）二〇一〇年七月二一日放送。

＊12　二〇一〇年六月現在、構想から一〇年以上経った段階で七企業のみが（予定地の七・二%）参入。「沖縄　脱基地経済への胎動：成功する特区、失敗する特区」朝日新聞ＧＬＯＢＥ、二〇一〇年九月二日。（http://globe.asahi.com/feature/100920/03_2.html）

＊13　同前。

＊14　沖縄県「沖縄21世紀ビジョン」二〇一〇年三月、一頁。（http://www.pref.okinawa.jp/21vision/archives2/okinawa21_201004.pdf）

＊15　同前。

＊16　鳩山由紀夫「『鳩山の乱』（沖縄の〈怒〉）を読んで」（鳩山由紀夫元首相からの『沖縄の〈怒〉』第五章「鳩山の乱」へのコメント）。

＊17　篠原一「『トランジション第二幕へ』」『世界』二〇一〇年一一月号、九一頁。

＊18　「米、日本に八〇〇億超の負担増要求、海兵隊のグアム移転で」『琉球新報』二〇一二年三月二四日。

＊19　外務省「日米安全保障協議委員会文書　在日米軍の再編の進展」二〇一一年六月二一日。（http://www.mofa.go.jp/mofaj/area/usa/hosho/pdfs/joint1106_02.pdf）

「2プラス2　南西諸島を災害拠点　下地島想定」『沖縄タイムス』二〇一一年六月二一日。

＊20　Quoted in Sabrina Salas Matanane, "Congress reviewing DoD Plans," Guam News (Guam: Guam

News Network, February 15, 2012). (http://www.kuam.com/story/16946890/2012/02/15/lada-estates-project-movesforward?clienttype=printable/)

*21 仲井眞県知事は、県環境評価委員会の答申を受け、飛行場設置事業には一七五、公有水面埋め立て事業部分に関しては四〇四の不備を指摘する知事意見を沖縄防衛局へ提出した。For accounts of the former by Sakurai Kunitoshi, "Japan's Illegal Environmental Assessment of the Henoko Base," *The Asia-Pacific Journal: Japan Focus*, February 27, 2012 (http://japanfocus.org/events/view/131). および桜井国俊「日本の未来を奪う辺野古違法アセス」『世界』二〇一二年三月号、二〇一–二一四頁。公有水面埋め立て事業部分に関しては「辺野古アセス不備、四〇四件を指摘」『琉球新報』二〇一二年三月二八日。

*22 同前、桜井「日本の未来を奪う辺野古違法アセス」。

*23 同前。

*24 「やり直し認めず　辺野古アセス訴訟　原告全面敗訴」『琉球新報』二〇一三年二月二一日。

*25 スラップ（SLAPP, Strategic Lawsuit Against Public Participation）とは、訴訟の形態の一つで、威圧訴訟、恫喝訴訟のこと。直訳では「対公共関係戦略的法務」。スラップは、公の場での発言や政府・自治体などへの要求のために行動を起こした権力を持たない比較弱者・一個人に対して、大企業や政府などの権力を持った者が恫喝や発言を封じるなどの威圧的、恫喝的あるいは報復的な目的で起こす訴訟である。(http://ja.wikipedia.org/wiki/スラップ)

*26 比屋根照夫「規制の網、戦前を想起」『沖縄タイムス』二〇一二年三月一八日。

*27 マコーマック・乗松、前掲書。
*28 Richard Armitage and Joseph S. Nye, "The US-Japan Alliance: Anchoring Stability in Asia," CSIS (Center for Strategic and International Studies), August 2012.
*29 "United States-Japan Joint Statement: A Shared Vision for the Future," White House, Office of the Press Secretary, April 30, 2012. (http://www.whitehouse.gov/the-press-office/2012/04/30/united-states-japan-joint-statement-shared-vision-future/)
*30 「日本は戻ってきました」(安倍晋三首相がワシントンのCSISで行った政策スピーチ、二〇一三年二月二二日)より。(http://www.kantei.go.jp/jp/96_abe/statement/2013/0223speech.html)
*31 "Osprey's arrival foments distrust," *Japan Times*, 24 July 2012.
*32 マコーマック・乗松、前掲書。
*33 目取真俊「オスプレイ配備とは何か」『琉球新報』二〇一二年六月一五日。
*34 「日本からどうこう言う話でない」朝日新聞デジタル、二〇一二年七月一六日。(www.asahi.com/politics/update/0716/TKY201207160273.html)
目取真俊「Ｎｏといえない政治家たち」(ブログ「海鳴りの島から」、二〇一二年七月一七日)も参照。(http://blog.goo.ne.jp/awamori777/e/502c985fd40d724097ced833f225038d/)
*35 社説「オスプレイ県民大会／命の尊厳この手に　『平和の要石』への起点」『琉球新報』二〇一二年九月九日。
*36 同前。
*37 「森本防衛相登場　茶番劇はたくさんだ」『琉球新報』二〇一二年八月六日。

*38 「建白書」『世界』二〇一三年三月号、一五四頁。
*39 社説『琉球新報』二〇一三年一月二九日。
*40 社説「崩れる『抑止力論』基地削減へ本質議論を」『沖縄タイムス』二〇一二年一二月二八日。
*41 「『四・二八政府式典』二度目の屈辱の日」『沖縄タイムス』二〇一三年三月九日。
*42 「仲井眞知事、開催に不満『主権回復の日』式典で」『琉球新報』二〇一三年三月一九日。

3

*1 Gavan McCormack, "Much Ado over Small Islands–the Sino-Japanese confrontation over Senkaku/Diaoyu," *The Asia-Pacific Journal: Japan Focus*, 27 May 2013. (http://japanfocus.org/-Gavan-McCormack/3947/)
*2 馬毛島環境問題対策編集委員会編『馬毛島、宝の島——豊かな自然、歴史と乱開発』南方新社、二〇一〇年、一四頁。
*3 立澤史郎「私の視点」『朝日新聞』二〇一一年七月二日。
*4 前出、『馬毛島、宝の島』七〇-九一頁。
*5 鳩山については、マコーマック・乗松、前掲書、一一〇-一四一頁。
*6 同前。
*7 http://ja.wikipedia.org/wiki/馬毛島.
*8 「基地誘致への大開発、森林激減　鹿児島・馬毛島　行政黙認」『朝日新聞』二〇一一年八月一〇

日。(http://www.asahi.com/national/update/0810/SEB201108100071.html)

*9 西之表市の人口は、一九五〇年から一九六五年まで約三万人で推移し、その後減少し続け二〇一三年一〇月末現在一万六六二二人。(西之表市ホームページ http://www.city.nishinoomote.kagoshima.jp/)

*10 前出、『馬毛島、宝の島』、八〇頁。

*11 「馬毛島　建築物に課税　タストン社に市も通知へ　鹿児島県」『西日本新聞』二〇一一年一一月七日。

*12 同前。

*13 「馬毛島の鹿、一〇年で半減」『朝日新聞』二〇一一年七月七日。

*14 「馬毛島への訓練移転説明――防衛副大臣西之表市長反対を強調」『朝日新聞』二〇一一年七月二日。

*15 「馬毛島開発会社許可取り消しを保留、鹿児島県」『西日本新聞』二〇一二年二月二四日。

*16 「馬毛島移転見直し要請、防衛政務官に鹿児島、西之表市長ら」『産経新聞』二〇一二年五月三一日。

*17 「馬毛島訓練移転の反対署名、十四万人の追加提出」『読売新聞』二〇一二年五月三一日。

*18 「防衛省と米軍　六月に馬毛島視察で調整」『読売新聞』二〇一二年五月二四日。

第一八三回国会・衆議院予算委員会(二〇一三年二月一二日)

(http://www.shugiin.go.jp/itdb_kaigiroku.nsf/html/kaigiroku/001818320130212004.htm)

4

*1 Fija Bairon, Matthias Brenzinger, and Patrick Heinrich, "The Ryukyus and the new, but endangered, languages of Japan," *The Asia-Pacific Journal: Japan Focus*, 9 May 2009.

＊2　詳細は、マコーマック・乗松『沖縄の〈怒〉』第一章「幻の条約」、また佐藤優「日本政府による一九五二年の沖縄切捨てを考えよ」『週刊金曜日』二〇一二年五月一一日号、二四－二五頁。

＊3　大浦太郎『密貿易島――わが再生の回想』沖縄タイムス社、二〇〇二年。

＊4　「どぅなんの苦渋　第二回」『琉球新報』二〇一二年七月八日。

＊5　外間守吉与那国町長の筆者との談話より（二〇一一年一一月一五日）。

＊6　外間町長への櫻井よし子による取材（二〇〇九年九月二日）、「特集――国防最前線を担う最果ての島『与那国』ルポ」『週刊新潮』二〇〇九年一〇月一日号。（http://yoshiko-sakurai.jp/index.php/2009/10/01/）

＊7　グレン・フック（Glenn D. Hook）「グローバル化、地域化の応答――沖縄県及び与那国町の場合」古城利明編『リージョンの時代と島の自治――バルト海オーランド島と東シナ海沖縄島の比較研究』中央大学出版部、二〇〇六年、九三―一二三頁中の一一一頁。

＊8　沖縄県与那国町「与那国・自立へのビジョン　自立・自治・共生――アジアを結ぶ国境の島・与那国」報告書、二〇〇五年三月。

＊9　「『国境交流推進共同宣言』に調印、台湾東部地域と三市町長」『八重山毎日新聞』二〇〇九年四月一六日。

＊10　「『住民投票条例否決』住民間の対話の道探れ」『沖縄タイムス』二〇一二年九月二六日。

＊11　三浦耕喜「島の自立、規制の海阻む」『東京新聞』二〇〇五年三月一九日。

＊12　「沖縄　脱基地経済への胎動：国境越える離島の戦略　八重山、台湾に秋波」（宮地ゆう）、朝日新

聞GLOBE、二〇一〇年九月二〇日。
(http://globe.asahi.com/feature/100920/03_4.html)

*13 「どぅなんの苦渋　第四回」『琉球新報』二〇一一年七月一一日。

*14 "First USN civilian port call in Okinawa a success," Kevin Maher, secret despatch, 27 June 2007. 二〇一一年のウィキリークスによる記事より。
(http://www.wikileaks.ch/cable/—2007/06/07Naha89.html)

*15 前田佐和子「揺れる八重山の教科書選び」ピース・フィロソフィー・センター(Peace Philosophy Centre)、二〇一一年九月一六日。
(http://peacephilosophy.blogspot.com/2011/09/blog-post_16.html/)

*16 二〇〇九年九月二四日の北澤俊美防衛大臣発言。「陸自与那国配備を否定『隣国刺激する』防衛省今日来県」沖縄タイムス、二〇〇九年九月二五日。

*17 McCormack, "Much Ado over Small Islands."

*18 防衛省「平成二三年度以後に係る防衛計画の大綱」。

*19 Sugio Takahashi (Japanese Ministry of Defense), "Counter A2/AD in Japan-US Defence Cooperation-Toward 'Allied Air-Sea Battle'."
(http://project2049.net/documents/counter_a2ad_defense_cooperation_takahashi.pdf)

*20 森本敏防衛大臣の発言。Chico Harlan, "With China's rise, Japan shifts to the right," *Washington Post*, 21 September 2012 より引用。

*21 前出、筆者と外間町長の談話より(二〇一一年一一月一五日)。

＊22 櫻井よし子、前出「特集――国防最前線を担う最果ての島『与那国』ルポ」など。

＊23 野中大樹「『南へ』と向かう八重山」『現代思想』二〇一二年一二月号、二一六－二二七頁中二二二頁。

＊24 社説「町長は住民投票で判断を」『八重山毎日新聞』二〇一二年四月二日。

＊25 社説「対馬と与那国、国境の島を交流点に」『沖縄タイムス』二〇一一年一〇月一四日。

＊26 署名総数二三三一人の内一七七五人は与那国住民ではない。「陸自誘致の決議撤回を」『八重山毎日新聞』二〇一一年一一月二一日。

＊27 前田佐和子「揺れる八重山の教科書選び」および「八重山教科書問題の真相」。(Peace Philosophy Centre, 23 May 2012, http://peacephilosophy.blogspot.com.au/2012/05/part-ii.html/)

＊28 『琉球新報』二〇一一年九月七日。渡瀬夏彦「与那国島に自衛隊は必要か」『世界』二〇一二年二月号、一四四－一五二頁中、特に一五〇頁。

＊29 「自衛隊候補地示す町と防衛省住民説明会、与那国」『琉球新報』二〇一一年一一月一八日。

＊30 「五八八人分の署名提出　有権者の約四八％占める」『八重山毎日新聞』二〇一二年七月二五日（最終的には五四四人）。

＊31 「与那国住民投票条例案、反対多数で否決」『沖縄タイムス』二〇一二年九月二四日。

＊32 「与那国、民意問う機会遠のく」『沖縄タイムス』二〇一二年九月二五日。

＊33 「与那国町長　軍隊は要らないが自衛隊は呼びたい」『沖縄タイムス』二〇一三年二月一一日。

＊34 「誘致悲願なのに迷惑料要求?.?.?」イソバの会、二〇一三年三月一八日。(http://www.isobanokai.ti-da.net/d2013-03.html/)

*35 社説「与那国町長選　外間氏三選　謙虚に島の融和を図れ」『琉球新報』二〇一三年八月一二日。

*36 渡名喜守太「背景にあるもの、八重山教科書問題」『琉球新報』二〇一一年九月一一日。

*37 http://en.wikipedia.org/wiki/Nobukatsu_Fujioka.

*38「保守系教科書議論呼ぶ――来年度から四年間の中学社会科教科書を各地で採択」『毎日新聞』二〇一一年九月一九日。

*39 マコーマック『属国』第六章参照。

*40 目取真俊ブログ「海鳴りの島から」二〇〇八年一一月一五日。

Steve Rabson, "Case Dismissed: Osaka Court Upholds Novelist Oe Kenzaburo for Writing that the Japanese Military Ordered 'Group Suicides' in the Battle of Okinawa," *Japan Focus*, 8 April 2008. (http://japanfocus.org/-Steve-Rabson/2716)

*41 前出、前田「揺れる八重山の教科書選び」「八重山教科書問題の真相」。

*42 "In Okinawa district, sharp ideological divides breed different textbook choices." Mainichi *Daily News*, 30 October 2011.

*43 野中大樹「『南へ』と向かう八重山」二三一頁。

*44 社説「八重山教科書、選定再協議へ踏み出す時だ」『琉球新報』二〇一一年一一月二五日、および「未来担う世代のために――八重山教科書問題座談会」『琉球新報』二〇一一年九月一一日。

*45「八重山教科書、玉津氏『国指導あった』書名伏せ協議」『琉球新報』二〇一一年一二月二二日。

*46 二〇一一年八月三一日付『沖縄タイムス』、二〇一一年九月七日付『琉球新報』、および前出、前田「揺れる八重山の教科書選び」。

＊47 前田、同前。

＊48 同前。

＊49 賛成八、反対二（反対一、棄権一）。仲山忠克「連載第一回　違法の文科省見解」『琉球新報』二〇一一年一一月一一日。

＊50 前出、前田「八重山教科書問題の真相」。

＊51 同前。

＊52 APA Group, Big Talk 257–Japan Must Take Another Look at All Facts of its Modern History, Including the Kono Statement, Murayama Statement, and Tokyo Trials Historical Viewpoint. Hakubun Shimomura interviewed by Toshio Motoya. (http://www.apa.co.jp/appletown/bigtalk/bt1212/english_index.html/)

＊53 Gavan McCormack "Abe days are here again–Japan in the World," *The Asia-Pacific Journal*, 24 December 2012 (http://japanfocus.org/-Gavan-McCormack/3873/).

＊54 前出、仲山「違法の文科省見解」。

＊55 「『竹富教科書問題』政治介入は慎むべきだ」『沖縄タイムス』二〇一三年三月二九日。

＊56 「『答申に拘束力ある』義家政務官」『八重山毎日新聞』二〇一三年三月二日。

5

＊1 "China, Japan sign joint statement on promoting strategic, mutually beneficial ties," *China

View, 8 May 2008（http://news.xinhuanet.com/english/2008-05/08/content_8124331.htm/）.

＊2　Sachiko Sakamaki, "China's Hu, Japan's Hatoyama agree to extend thaw in relations," *Bloomberg*, 22 September,2009.
（http://www.bloomberg.com/apps/news?pid=newsarchive&sid=amN_cwK8u4NU/）

＊3　Guo Rongxing, "Territorial disputes and seabed petroleum exploration," The Brookings Institution, *Center for Northeast Asian Policy Studies*, September 2010, p. 23.

＊4　羽根次郎「尖閣問題に内在する法理的矛盾」『世界』二〇一二年一一月号、一一二－一一九頁および一一六－一一八頁。

＊5　上村英明「領土問題と歴史認識」第一一回「歴史認識と東アジアの平和」フォーラム・東京会議（二〇一二年一一月二四～二六日）、報告資料、九〇頁。

＊6　内海正三「沖縄無視、漁業協定でも」『沖縄タイムス』二〇一三年五月一七日。

＊7　尖閣・釣魚問題についての『人民日報』連載（二〇一三年五月八～一〇日）、特に第三回「馬関条約と魚釣島問題を論じる」『人民日報』（日本語版）、二〇一三年五月一〇日。

＊8　See Ivy Lee and Fang Ming, "Deconstructing Japan's claim of sovereignty over the Diaoyu/Senkaku islands," p.7, *The Asia-Pacific Journal: Japan Focus*, 31 December 2012.
（http://japanfocus.org/-fang-ming/3877/）

＊9　James C. Hsiung, "Sea Power, Law of the Sea, and a Sino-Japanese East China Sea 'Resource War'," in James C. Hsiung, ed., *China and Japan at Odds: Deciphering the Perpetual Conflict*, Palgrave Macmillan, 2007, pp. 133-154, at p.135.

＊10 "Geographical Boundaries of the Ryukyu Islands," US Civil Administration of the Ryukyu Islands, Civil Administration Proclamation No 27, 25 December 1953 (Okinawan Prefectural Archives, Ginowan City). 中国は、一九五三年に琉球列島米国民政府が出した布告第二七号は、一方的に琉球列島の地理的境界を拡大させた不当なものであるという立場である（『人民日報』二〇一三年五月一〇日）。

＊11 Kimie Hara, "The post-war Japanese peace treaties and China's ocean frontier problems," *American Journal of Chinese Studies*, vol. 11, No. 1, April 2004, pp. 1-24, at p. 23. And see Kimie Hara, *Cold War Frontiers in the Asia-Pacific: Divided Territories in the San Francisco System* (Abingdon: Taylor and Francis, 2006), especially chapter 7, "The Ryukyus: Okinawa and the Senkaku/Diaoyu disputes."

＊12 豊下楢彦『「尖閣問題」とは何か』岩波現代文庫、二〇一二年、五二頁。

＊13 豊下楢彦「あえて火種残す米戦略」『沖縄タイムス』二〇一二年八月一二日。

＊14 一九七二年の九月二七日に行われた田中角栄首相と周恩来首相の首脳会談における尖閣問題の取り扱い方については、Lee and Ming, "Deconstructing Japan's claim of sovereignty over the Diaoyu/Senkaku islands," *The Asia-Pacific Journal: Japan Focus*, 31 December 2012. p. 36. および豊下『「尖閣問題」とは何か』四八－五〇頁を参照。

＊15 前出、Lee and Ming および田畑光永「領有権問題をめぐる歴史的事実」『世界』二〇一二年一二月号、一〇四－一一三頁参照。

＊16 前出、Lee and Ming, p.11 を参照。

＊17 「田中元首相から尖閣棚上げ合意聞いた　野中氏、中国側に」『朝日新聞』二〇一三年六月四日。

＊18 外務省「尖閣諸島について」二〇一三年三月。
(http://www.mofa.go.jp/mofaj/area/senkaku/pdfs/senkaku.pdf/)

＊19 前出、田畑「領有権問題をめぐる歴史的事実」一〇四－一一三頁中一〇七－一〇八頁。

＊20 Susumu Yabuki: "Interview: China watcher said Senkakus are a diplomatic mistake by Japan," *Asahi shimbun*, 12 December 2012. 矢吹晋は、その後のインタビュー（"China-Japan territorial conflicts and the US-Japan-China relations in historical and contemporary perspective," by Mark Seldon, *The Asia-Pacific Journal: Japan Focus*, 4 March 2013, p.3）および自著『尖閣問題の核心』（花伝社、二〇一三年、二一一頁）でも厳しく日本を非難している。

＊21 マコーマック・乗松、前掲書、五二頁

＊22 詳細は、McCormack, "Much Ado about Small Islands."

＊23 "Joint Press availability," Department of State, 27 October 2010. (http://www.state.gov/secretary/rm/2010/10/150110.htm)

＊24 Ben Dolven, Shirley A. Kan, Mark E. Manyin, Maritime Territorial Disputes in East Asia: Issues for Congress, Congressional Research Service, January 23, 2013, p.16.
(http://www.fas.org/sgp/crs/row/R42930.pdf/)

＊25 "China condemns Senkaku amendment to US-Japan security treaty," *Japan Times*, 4 December 2012.

＊26 前出、Lee and Ming, p.2.

*27 この点についての議論は、豊下楢彦「『尖閣購入』問題の陥穽」『世界』二〇一二年八月号、四一−四九頁、また、豊下前掲書『「尖閣問題」とは何か』参照。

*28 和田春樹『領土問題をどう解決するか』平凡社新書、二〇一二年、二三−三三頁。

*29 "The US-Japan alliance and the debate over Japan's role in Asia," lecture to Heritage Foundation, Washington D.C., 16 April 2012.
(http://www.heritage.org/events/2012/04/shintaro-ishihara/)

*30 豊下、前出「『尖閣購入』問題の陥穽」四二頁。

*31 Jun Hongo, "Tokyo's intentions for Sen-kaku islets," *Japan Times*, 19 April 2012.

*32 Ishihara, lecture to Foreign Correspondents' Club of Japan, Tokyo, 29 May 2012. Hiroshi Matsubara, "Tokyo Governor calls out his enemies at FCCJ," *Asahi shimbun*, 29 May 2012.

*33 前者は社説「国の尖閣購入手続きは静かに淡々と」『毎日新聞』二〇一二年七月八日、後者は "Stop infighting over the Senkakus," edi-torial in *Japan Times*, 18 July 2012.

*34 前出、Lee and Ming, pp.4-5.

*35 二〇一二年一〇月一五日、ウィリアム・バーンズ国務次官補と会談時の安倍発言（前出、田畑「領有権問題をめぐる歴史的事実」、一一三頁）。

*36 「『政権構想』発表　新しい国へ」『文藝春秋』二〇一三年一月号、一二四−一三三頁中一三〇頁。

*37 Kyodo, "From Beijing, Hatoyama tells Tokyo to admit row," *Japan Times*, 18 January 2013.

*38 AFP-Jiji, "China hype: Hatoyama war regrets," *Japan Times*, 19 January 2013.

*39 前出、田畑「領有権問題をめぐる歴史的事実」、一一三頁。

*40 “Viewpoint: National strength still to be raised to solve Diaoyu Islands issue,” China Military Online, 17 May 2013.
(http://english.peopledaily.com.cn/90786/8247941/)

*41 Gavan McCormack, “Abe Days are Here Again–Japan in the World”.

*42 安倍政権による歴史認識の転回によって生じた米国内および米国メディアの「日本への疑い」については、Emma Chanlett-Avery, Mark E. Manyin, William H. Cooper, Ian E. Rinehart, Japan-U.S. Relations: Issues for Congress, Congressional Research Service, May 1, 2013. (www.crs.gov/7-5700) および竹内洋一「首相歴史認識　米が懸念『東アジア混乱』『米国国益害する』」『東京新聞』二〇一三年五月九日を参照。

*43 “Remarks With Japanese Foreign Minister Fumio Kishida After Their Meeting,” Hillary Rodham Clinton, Secretary of State, Washington, DC, January 18, 2013.
(http://www.state.gov/secretary/rm/2013/01/203050.htm/)
乗松聡子は、このクリントン国務長官と岸田外相の会談のメディアの伝え方について、「クリントン・岸田会見報道――マスメディアのあおりにだまされないように」(Peace Philosophy Certre 二〇一三年一月二〇日) という論文で分析している。(http://peacephilosophy.blogspot.com.au/)

*44 「日米の共同声明」二〇一三年二月二二日、ワシントン。(http://www.mofa.go.jp/mofaj/kai-dan/s_abe2/vti_1302/pdfs/1302_us_01.pdf)

*45 Peter Nolan, “Imperial Archipelagos: China, Western Colonialism and the Law of the Sea,” *New Left Review*, 80, March-April 2013, pp.77-95 参照。日本に関する詳細については、Gavan McCormack,

"Troubled Seas: Japan's Pacific and East China Sea Domains (and claims.)" *The Asia-Pacific Journal: Japan Focus*, 3 September 2012 参照。(http://japanfocus.org/-Gavan-McCormack/3821/)

＊46 前出、Nolan, "Imperial Archipelagos."

＊47 前出、McCormack, "Troubled Seas."

＊48 山田吉彦「日本は世界四位の海洋大国」『日本経済新聞』二〇一一年一一月一七日。

＊49 「南鳥島沖レアアース、中国鉱床一〇倍の高濃度」『読売新聞』二〇一三年三月二一日、「大規模海底鉱床『資源立国』は夢ではない」『琉球新報』二〇一三年四月二日。

＊50 前出、山田「日本は世界四位の海洋大国」。

＊51 前出、Guo Rongxing, pp.9, 25-6.

＊52 井上清「尖閣列島――釣魚諸島の史的解明」現代評論社、一九七二年、一二三頁。

＊53 "China and Japan: Could Asia really go to war over these?" *The Economist*, 22 September 2012.

＊54 張寧「『釣魚島』の背後の中国の思想的分岐」『現代思想』二〇一二年一二月号、一〇四－一一二頁中、特に一〇六頁。

＊55 For the Congressional Research Service discussion, Maritime Territorial Disputes in East Asia: Issues for Congress, p.16 (fn. 24).

＊56 Togo Kazuhiko, "Japan's territorial problem: the Northern Territories, Takeshima, and the Senkaku islands," The National Bureau of Asian Research, Commentary, 8 May 2012. および保阪正康・東郷和彦『日本の領土問題――北方四島、竹島、尖閣諸島』(角川書店、二〇一二年)を参

照。

＊57 和田、前出、一九頁。

＊58 中国人民解放軍の戚建国副総参謀長による、二〇一三年六月二日、シンガポールで行われたアジア安全保障会議での発言。「尖閣棚上げ、対話のシグナル見逃すな」『琉球新報』二〇一三年六月四日。

＊59 比屋根照夫「尖閣解決へ県内研究者ら指導」『琉球新報』二〇一三年一月一三日。

＊60 「沖縄からの緊急アピール：尖閣諸島（钓鱼岛及其附属岛屿、釣魚台列嶼）を共存・共生の生活圏にするために」二〇一三年一月一〇日。(http://peacephilosophy.blogspot.com.au/2013/02/an-urgent-appeal-from-okinawa-to-turn.html)

6

＊1 Gavan McCormack, "Contested Waters–Contested Texts: Storm over Korea's West Sea," *The Asia-Pacific Journal*, 21 February 2011. (http://japanfocus.org/-Gavan-McCormack/3492).

＊2 前者について北朝鮮は関与を否定し、二〇一一年、韓国地震研究所は爆発が一九七〇年代に韓国軍が残した機雷によるものと結論した。後者では、韓国が北朝鮮の領土に隣接した所に砲撃演習を繰り返し、北朝鮮は抗議のあと反撃したという。

＊3 Tim Beal, *Crisis in Korea: America, China and the risk of war*, London, Pluto Press, 2011, passim.
Jimmy Carter, "North Korea's consistent message to the U.S.," *Washington Post*, 24 November, 2010.

＊4　半田滋「ミサイル防衛の原点は『対米支援』」『週刊金曜日』二〇一二年一二月二一日、五六－五七頁。

＊5　三月一一日から二一日までの三〇〇〇人におよぶ米韓軍によるキーリゾルブ作戦を含め、一万人の米兵が参加した米韓合同演習のフォウルイーグル作戦は三月一日から四月三〇日まで続いた。“The Korean Peninsula: Flirting with Conflict,” Seoul/Brussels, International Crisis Group, 13 March 2013.

＊6　柳澤協二元官房副長官補の発言。「PAC3配備『意味ない』」『沖縄タイムス』二〇一二年四月九日。

7

＊1　前出、豊下「『領土問題』の戦略的解決」五四頁。

＊2　“Taking harder stance toward China, Obama lines up allies,” *New York Times*, 25 October 2010.

＊3　前ブッシュ政権下で米国のアジア政策を統括していたマイケル・グリーンをはじめ、ワシントンにおいて一貫して存在する大勢の見方。Peter Hartcher, “China gets its catch, hook, line and sinker,” *Sydney Morning Herald*, 17 July 2012.

＊4　Hiroshi Kakazu, “Challenges and opportunities for Japan's remote islands,” *Eurasia Border Review*, 2, 1, Summer 2011, p.15.

＊5　「県内移設手続き五五％『評価』」『沖縄タイムス』二〇一三年三月二五日。

＊6　Park Keun-hee, “A plan for peace in North Asia,” *The Wall Street Journal*, 12 November 2012.

＊7　グレン・フック、前出「グローバル化、地域化の応答——沖縄県及び与那国町の場合」一一四－一一八頁。
＊8　自由民主党ホームページより（https://www.jimin.jp/activity/colum/120382.html）
＊9　新崎盛暉「沖縄は、東アジアにおける平和の『触媒』となりうるか」『現代思想』二〇一二年一二月号、一四八－一五七頁中、特に一五七頁。

第三章 ［対談］東アジアの現在を歴史から考える

ジョン・W・ダワー
ガバン・マコーマック
［明田川 融 訳］

本書に論稿を寄せた二人の著者によるこの対談は、二〇一三年六月後半から七月前半の数日間、米豪間で電子メールを通じて行われた意見交換から生まれた。

JWD（ジョン・W・ダワー）　本当に動乱の時代です。二〇一二年の秋ごろから、日本・中国・北朝鮮を巻き込んだ出来事が、米国を引っ張り込みアジアを混沌《こんとん》のなかに投げ込むような恐ろしい武力衝突のごときものへの引き金になるかもしれない——そのような現実の恐怖を、私たちは目の当たりにしてきました。けれども、このような危機の時代はなにも新しいものではありません。

少し距離を置いて、第二次世界大戦の終わりと冷戦の始まり以降のアジアの大きな構図を見れば、こうした緊張や危機はお定まりの現象だということがわかります。今日の状況で、新しいこととは何でしょうか。

GM（ガバン・マコーマック）　何もかもが新しい。あまりにも、多くのことが変わっています。そして、ひとりの人間の人生という比較的短いタイム・スパンに限ってみても、私たち二人は波乱に満ちた出来事をどれほど目撃してきたことか。スペイン内戦が戦われていた時期に生まれ、第二次大戦と朝鮮戦争の時代に子ども時代をおくった。大人になってからはベトナム・インドシナからアフガニスタン・イラクへいたる戦争が起こり、そして核兵器による人類滅亡の脅威さえも感じられた。これらの記憶は消し去ることができません。これらの出来事を私たちは歴史家として整理するいっぽう、人間が歴史から教訓を汲みとり、私たちの子や孫が平和のうちに生きることができるようになる兆《きざ》しが生じることを心待ちにしてきました。しかし、その兆しは有るとも無いとも言えません。変化の時を迎えていますが、良い方へ向かっているのか、悪い方へ向かっているのか、答えを出すには早すぎます。

私たちが現在を理解するためには、もっと長い目で物事を見る必要があると考えています。植民地主義と冷戦の時代、つまりヨーロッパとアメリカが支配的であった二〇〇年ほどのあいだアジアを翻弄した潮流は後退しつつあるという現実があります。米国は凋落《ちょうらく》し、中国が台頭していることは、短期的には深刻な対立を生みだすでしょうが、長期的には（マルクスが予見したように）経済が政治を根底から変革していくことは確実です。欧米列強による帝国主義の時代の前夜、一八二〇年ごろ、アジアは世界の国内総生産（GDP）のおよそ半分を担い、世界の中心であったのですが、今また当時の地位を回復する方向へ動いています。今日、アジア経済は統合され、大衆文化の自由で多方向な交流が盛んですが、歴史やアイデンティティ、価値観を共有するまでにはいたっていません。一九五一年から五二年にかけて形づくられたサンフランシスコ体制に関係した決定事項や構造が、今ではアジアの地域的統合にとって障害物になっています。

サンフランシスコ体制成立当時、米国は世界のGDPの約半分を占め、軍事力の面でも、圧倒的な支配力を持っていました。朝鮮半島は戦争の渦中にあり、中国は内戦直後の分裂状態で、日本は戦後の疲弊困窮にあり、アジアの多くの国々では植民地体制がいぜん継続、あるいは今まさに崩壊しつつある、といった状況でした。六〇年後、東アジアは世界成長のカギを握る経済の中心として、中国と日本は世界第二、第三の経済力を誇っています。まもなく、両国は一位と三位になることが確実です。かつて帝国主義時代以前にアジアは世界の中心でした。アジアが再び世界の中心としての地位を取り戻しつつある今日、安全保障、環境、エネルギー問題が共通のものだという認識が広がり、イデオロギーの違いも小さくなりつつある。しかし、軍備の拡張はつづき、軍事衝突も、絶対ありえないというには程遠い有様です。米国は抜群に傑出した国ですが、イラクやアフガニスタンで始めた戦争で勝利を得られず、また国際法上の責任をとることを拒否し、拷問や無差別な拘留《こうりゅう》や殺戮《さつりく》に目をつぶり、道義という点でも信用を失ってしまいました。しかし、あらゆることが変化しているなか、冷戦の昂揚《こうよう》期に作られた安全保障の基本構造は、もはや時代錯誤で壊れかけているのに旧態依然のままです。

ここ数十年のあいだに、世界は一九七〇年代から八〇年代初めにかけての驚異的な「ジャパン・アズ・ナンバー・ワン」現象に眼を丸くし、中国の奇跡的な成長に驚嘆しています。その驚きは、これが地域や世界の秩序を根本から変える、不確実でおそらくは危険な時代に入ったという不安感がつきまとうものでした。

早晩、「チャイナ・アズ・ナンバー・ワン」と宣言する者が出てくることは間違いありません。日本は一九九〇年には世界のGDPの一五%を占めていましたが、それが二〇〇八年には一〇%以下に落ち込み、二〇三〇年には四・二%、二〇六〇年には三・二%になると予測されています。対照的にOECD（経済協力開発機構）の予測では、一九九〇年に世界のGDPの二%であった中国が、二〇三〇年には二七・九%、二〇六〇年には二七・八%に達するといわれます。この相対的な経済の比重の変化は、おそらく何よりも日本と米国に影響をおよぼすでしょう。半世紀以上にわたってアジア太平洋の戦略状況を規定してきた「パックス・アメリカーナ」はこうした変化によってかつてない挑戦を受けています。

問題は、米中、日米、日中、日韓、日朝における緊張がどのように制御され、解決されるか、ということです。おそらくカギになるのは、日本と中国というアジアの二人の巨人が、忌まわしい歴史の記憶、猜疑《さいぎ》心、恐怖をひとまずおいて、協力することを学び、友好的関係を作るという難題を克服することにかかっていると思います。

それと、核兵器の問題があります。一九五一年には米国が保有しており、ソ連も入手したばかりでした。今では、国連安保理常任理事国が支配的である「世界核クラブ」が存在し、そのメンバーは軍縮について考えることさえ拒否し、安全保障は核爆弾にかかっていると信じて疑いません。核クラブのメンバーでない他の国々も核兵器を作ってこのクラブに入会しようと並々ならぬ努力を払っている。北朝鮮はそうしたグループの顕著な例です。今日確かなのは、米国、中国、ロシア、北朝鮮であろうと、それらの核兵器がもたらす脅威に向き合うまで北東アジアにとっての安全はありえない、ということです。

そのようなわけで、今日、「サンフランシスコ体制」は中国問題であり、日本問題であり、朝鮮半島問題であり、米国問題なのです。

JWD　今日でも米国の軍事戦略立案者の多くは、中国の台頭に応じるためには新たにハイテク化された「パックス・アメリカーナ」を創りだすのが好ましく、またそれが可能であると考えています。それが論争を呼ぶ「エア・シー・バトル」という概念の本質です。エア・シー・バトルは、日本や韓国をはじめとするアジア諸国を、米国による全く新たな段階の軍事能力と作戦に組み込むことを求めるものです。米国と日本でこの強硬路線の政策を支持する人々は当然のことながら、エア・シー・バトルを「抑止力」と言いますが、中国人は脅威を与える新たな「対中封じ込め」政策と見ています。科学技術によって駆りたてられる、果てしない軍拡競争におけるあらゆる要素が、この軍事再優先の思考方法のなかに存在しています。

誰も「パックス・アメリカーナ」がある種の覇権的な「パックス・シニカ」（中国による平和）といったようなものに変わるのを見たいわけではありません。中国に対するもっとも強硬な批評家たちの主張にもかかわらず、中国人自身がよく知っているように、現実にそれは考えられないことです。中国がこれからの数十年間に直面する国内問題は、経済問題あり、人口問題あり、環境悪化あり、政治腐敗ありと、いずれも私たちがいたるところで目にしているものですし、それらの解決は気が遠くなるようなものです。さらに中国には、この他にもたとえば、私たちが南シナ海における領土紛争を通じて知っているように、アジア太平洋地域において途方もなく大きな不信感を持たれているという問題があります。

そこで問題は次の点になります。すなわち、軍事衝突を回避し、より安定した持続可能な平和を創造する新たな権力の構図を生みだすことは可能か、ということです。

GM 私も中国に対する不信感が存在することには同意しますが、二つ限定条件を付けたいのです。第一に、「途方もなく大きな」という言葉はあまり使いたくありません。私にはむしろそれが、一つは遠くにあって衰退しつつある超大国である米国と、もう一つは近くにあって台頭しつつある中国の対立の一例のように思えるのです。中国の方をより脅威と感じるのは自然です。しかし、政策遂行のために暴力や戦争に訴えようとする強い傾向があるのは、米国に他なりません。今や米国は、世界中の陸、海、空、宇宙、サイバースペースを支配する意図を明確にしています。世界中のネット情報をつぶさに監視し、もっとも忠実な同盟国を動揺させるほどです。また、衰退しつつある大国は、その衰退を食い止めることができるならどんなことでもやろうとするかもしれませんが、日の出の勢いの大国は、台湾、チベット、インド、東シナ海および南シナ海といった国境地域の動静を睨《にら》みつつ、もっと慎重に行動する可能性があります。

私はまた、米国が中国に対してきわめて両義的に振る舞っているということも付け加えたいのです。すなわち米国は、一方で中国を最重要の仮想敵として、軍事ドクトリンと同盟を拡充し、しかし他方では、アジア太平洋における問題を取り仕切るにあたってはかなり緊密なパートナーのように中国と接しています。また時には、この二つの超大国が世界を二分して支配する「G２」による世界秩序の話も聞かれるのです。

米国は自分の息がかかっていないもの、あるいは米国支配が明確でない一切の「共同体」を極端に嫌う傾向があります。二〇〇九年に鳩山由紀夫が首相になり、東アジア共同体構想や対米関係、対中関係について対等な交渉を求める声を挙げると、たちまち非難の嵐が襲いかかり、提案も鳩山自身も吹き飛ばされてしまったのです。

しかし歴史の車輪は回りつづけます。中国を含め関係者はそろって、サンフランシスコ体制後のアジア地域の秩序が何であれ、米国が主要な役割を演じるべきであることを認めています。しかし中核となる牽引力《けんいんりょく》、そしてアイデンティティや目的意識は地域の内側から生みだされなければなりません。ということは、結局は中国と日本が動かないと始まらないでしょう。

沖縄は、サンフランシスコ体制の負荷がもっとも重くのしかかったところですが、サンフランシスコ体制は今や、沖縄からもっとも直接的な挑戦を受けています。日本の国土の〇・六％の沖縄に在日米軍施設の四分の三が集中しており、一九四五年以来、七二年の日本復帰まで米国占領下に置かれてきました。復帰しても米軍基地はそのままで、沖縄をめぐるあらゆる政策が米国優先を前提にしてきたという事実が、沖縄の日常生活では避けられない現実です。沖縄に関する交渉記録が明かす日米関係は、秘密外交、ウソ、脅かし、ごまかしに満ちたものです。興隆する大経済地域のほぼ完全な中心に位置しているにもかかわらず、沖縄にはアジア太平洋の安全保障体制全体を担う軍事戦略上の要石としての役割が押しつけられ、事実上「周縁化された」のでした。そして、日米関係で保証されているはずの安全すら与えられず、基地は経済発展の障害となっています。沖縄こそ同盟を危うくしかねないアキレス腱なのです。沖縄の人々は「東アジア安全保障」体制によって、守られているどころか、脅威を感じています。沖縄の怒りは、かつてワルシャワ条約にとって致命傷となりベルリンの壁を崩壊させた、モスクワ支配に対する東ヨーロッパの憤懣《ふんまん》を思い起こさせます。

1 属国の代償

JWD　日本で本当に新しく創造的なビジョンを見つけようとするとき、私たちが日本の支配層の声ではなく、沖縄やその他の軽んじられている地域の人々の声に注目することになるのは、興味深くもあり、また哀しいことでもあります。ここから、ワシントンのいわゆるジャパン・ハンドラー〔米国政府のいわゆる日本専門家たち〕が言う、日米関係における「非対称性」ということの問題性が提起されます。私はずっと以前に吉田茂についての本を書きましたが、それ以来用いている手厳しい表現が「従属的独立」です。マコーマックさんは、このことをとても影響力の大きい言葉で言い表しました。日本を「属国」と特徴づけたわけです。

GM そうなんです。実際、ダワーさんの用いた「従属的独立」や私の「属国」という概念を別とすれば、このような日米関係の分析は、欧米の、とりわけ米国の研究や報道には全く欠けています。サンフランシスコ体制の本質は不平等です。当初、同体制下で日本はほとんど発言権を持っていませんでした。日本は主権回復のための取引の一部である米国の軍事基地を拒否することは到底できませんでした（実質は疑似主権だったのですが）。しかし、日本にとってもっと悲劇的なのは、日本が世界第二位の経済力を獲得し、冷戦が終わり、米国が経済、政治、軍事面、また道義性の面では特に信頼性を失いつつある時になっても、米国はさらなる日本の従属と一体化を要求し、日本のエリートは要求に応えるために全力を尽くすということなのです。

私が、日本を理解するために「属国」という概念を二〇〇七年に提起したとき、その概念を、日本は形式的には独立した主権国家だが、自らの利益よりも他国の利益を優先する隷属的な状態を選択してきたという意味で用いていました。

属国という用語は一九七〇年代の傑出した保守政治家である後藤田正晴から拝借したものです。もともと、この概念は、サンフランシスコ講和に対して日本のエリートたちが持った憤《いきどお》りにさかのぼるものです。たとえば、当時の若き大蔵官僚で、のちに首相となった宮澤喜一は、講和当時、「これでは独立する意味はないに等しい」と述べたと伝えられています。もう一人の著名な保守政治家である久間《きゅうま》章生《ふみお》（防衛大臣などを歴任）は、二〇〇三年に、日本は「アメリカの何番目かの州みたいなものだから」と、この妥協的な独立に言及しました。その次の政権の防衛次官は「同盟というが、実際は米国が一方的に物事を決めているだけだ」と言いました。一九五〇年代以降、日本のエリート層によるこうした不快感を示す発言は枚挙に暇《いとま》がありません。

二〇一二年のベストセラーの一つは、元外務省高官で防衛大学校教授も務めた孫崎亨が書いた『戦後史の正体』で、同書は日本のトップで繰り広げられた二つの集団の抗争という点から一九四五年以降の日本の歴史を分析したものです。一方のグループは自主外交路線――とりわけ在日米軍基地の削減あるいは撤去とアジア諸国との緊密な結びつき――を志向し、もう一方のグループは追従路線（単に米国の指示に従う路線）を支持するグループです。孫崎によれば、前者のグループに属する人々は、一九四五年以降の八人の首相を含めて、ワシントンからの圧力によってその職を追われたといいます。

二〇〇九年はじめ、有名な政治家である小沢一郎はワシントンの計画に疑問を呈し、在日米軍基地はもはや必要ないとほのめかしました。一週間後、小沢は収賄容疑で召喚され、政界の中心から追い払われたのです。潔白が証明されるまでの三年半という空白によって、小沢の政治家としての命は、ほぼ終わってしまいました。小沢の後、民主党代表となった鳩山由紀夫は二〇〇九年から一〇年にかけて首相を務めますが、彼もまた米国と外務省および防衛省内の「追従」派の猛攻撃にあい、政権の座から早々と引きずり下ろされてしまいました。

こうして、「自立」路線を歩もうとする二一世紀初頭の日本の試みは挫折してしまいました。小沢や鳩山はより自主的な政策を創りだそうと試みた、直近のケースです。しかし、「追従」路線派のほうが、安定した長期政権で、我が世の春を謳歌し、日本政治にずっと大きな影響を残す傾向にあるのです。ジョージ・W・ブッシュ大統領(当時)は小泉純一郎を「小泉曹長」と称したと言われますが、これなどはワシントンで賞賛される日本の指導者のあり方を示す最近の例と言えるでしょう。

孫崎と同じく私も、その昔は国家主義や超国家主義を掲げた日本が今日では「追従」の途を行くという逆説に関心を持っています。それについては、「不思議の国のアリス」型(自己矛盾型)倒錯とでも言うべきものが存在する。すなわち、日本は米国に従属すべきだと主張する人々がナショナリストを名乗り、他方で、日本の利益を米国のそれよりも優先させる人が「反日」ではないかと疑われるといった倒錯です。日本政治の機能麻痺の根っこには、このアイデンティティの危機があります。

JWD　まさに、一九五一年から五二年にかけて日本が主権を回復した際に組み込まれた冷戦期安全保障体制の根深い遺産の一つがこれなのです。日米友好の大切さを疑う者はいません。友好的な日米関係は貴重なものです。また、緊密な二国間関係の絆《きずな》が日本に民主主義・平和・繁栄を保証してきたという、戦後の遺産の肯定すべき点を正面から否定できる者もいません。しかし、日本が払ってきた代償は相当なものであり、今やその代償はかつてないほど顕著になっています。新たな世界秩序を考察するにあたり、属国が指導的役割を演ずることが難しいのは、ほとんど自明のことです。

GM　そうですね。沖縄の主権が日本に返還された一九七二年以降、ワシントンに対する日本の従属が低下するのではなく増大したというのは、およそ合理的な理解に反すると私は思っています。日米の相互理解と尊重という言葉の裏には、米国政府のいわゆる日本専門家たち（ジャパン・ハンドラー）の対日蔑視があることに眼を向けてほしいのです。彼らジャパン・ハンドラーにとって、「もっとも理想的な日本人とは無条件に『服従』する者であり、しかも『服従』は日本人側が進んで申し出るべきもの」なんです。ジャパン・ハンドラーたちの立場では、尊敬よりも軽蔑が生まれやすいのです。小泉元首相は確かに人気があり、歓待されました。しかし彼は尊敬されていたでしょうか？　他方、小沢一郎は本当に恐れられていましたが、おそらくワシントンでは尊敬されていたでしょう。もっとも、人気はありませんでしたね。おかしなことに、戦後日本の国家官僚は、日本の隷属性を深化拡大させるために働いてきたという事実があります。一つひとつの交渉で、より自主的な選択があったかもしれない時でも、彼らは反対の方に動いたのです。

JWD　一九七二年の沖縄返還、そしてその約二〇年後の冷戦終結以降、ワシントンに対する日本の従属は小さくなるどころか大きくなってきていますが、私は、この事実が広く認識されていないと思います。とりわけ、これには途方もない意味が隠されている。日本がどんどん積極的に軍事的役割を負っていくという、総体としてとても大きな問題です。日本は、今後はますます米国の軍事的「平和維持」活動へ積極的に貢献せよという圧力にさらされることでしょう。米国が常に真の平和維持のための任を託せるような存在であれば問題はないのですが、過去のベトナム戦争のような残虐行為やイラク・アフガニスタンでの大失敗は、事実がそのようなものでないことを証明しています。

GM　ダワーさんが論文の中で書いているけれど、ここにもうひとつ皮肉なことがありますね。もともとの中国封じ込めは、中国がソ連（当時）の傀儡《かいらい》ないし、衛星国家であることを前提にしていました。しかし今や、中国が独立国家で日本がアメリカの「属国」であることは明白です。そのため日本は国連やG7、G8、G20サミットなど他の国際舞台で、大国にふさわしいしかるべき尊敬も受けられずにいます。

どうして属国指向が出てきたかと考えると、日本は二〇世紀の最初の二〇年間、世界最大の海軍国である英国との同盟を結び、この六〇年間は、米国という超大国との同盟があり、その間は、孤立と「暗い谷間」の時代があった。そんな時代には、誰も再び戻りたくない。だから同盟は日本の利益になったと考え、近現代史の教訓として多くの人々は、日本は世界一の軍事力を誇る米国にくっついていなければと思い込んでいるのでしょう。しかし、その論理で行けば背負い投げを食らうこともありそうです。「寄らば大樹の陰」という戦略は、同盟関係を過去の大国から現在または将来の大国へ突然に乗り換える可能性があることを意味するのですから。

JWD　属国という現象は、構造的な、そして戦略上の矛盾にとどまるものではありません。属国には重たい心理的負担も含まれます。日本側は、外面の下では欲求不満と沈殿した憤りを常にいだいてきました。それはあなたの先の観察が明らかにしたとおりです。

東京＝ワシントン関係の現状の日本側の支持者たちは、マイク・マンスフィールド元駐日大使の「日米同盟ほど世界で重要な二国間関係はない」という言葉を引用するのをやめません。これはもはや当たっていません。もっとも、かつては妥当だったとすればの話ですが。私が本書に収められている論稿を執筆している時、特に強い印象を受けたのは、日米関係に常に存在するオモテとウラのレトリックの相違です。このことは一九七一年から七二年にかけての米中和解時に行われた二つの秘密会談――ひとつはニクソン大統領とヘンリー・キッシンジャーとのあいだで、もうひとつはキッシンジャーと周恩来首相とのあいだで行われたものですが――においてショッキングなかたちで表れます。この米国の二人の指導者は、日本は信用できないという点で、周恩来にきっぱり同意したのです。日本の支配層にいる米国の忠実な友人たちは、何年も後になってこのバツの悪い議事録が機密解除になった時、屈辱を味わったに違いありません。

今一つ、日米関係の底流にある緊張を示す、より顕著な事例が二〇一三年早々に起きました。この時、安倍晋三首相は二度目の首相の座についてから初めてのワシントン公式訪問中でした。イラク・アフガニスタンでの戦争に片をつけて、戦略的に「アジアへ旋回する」というオバマ政権の話にもかかわらず、安倍首相は明らかな冷淡さで扱われました。安倍首相を歓迎するホワイト・ハウスでの政府主催晩餐会もなく、安倍・オバマ会談後に発表された声明には、TPP（環太平洋経済連携協定）への日本の将来の参加に関するコメント以外、ほとんど目ぼしいことが含まれていませんでした。

米国が安倍首相を遇するに際して見せた無頓着な態度は、中韓首脳訪米時に示された鋭い対照によって、のちに際立つことになります。五月に韓国の朴槿恵大統領がワシントンを訪れたとき、朴大統領は上下両院合同会議で演説を行う名誉を与えられただけでなく、メディアも彼女がその名誉を与えられた六人目の韓国大統領であると指摘しました。私が知る限りでは、日本の首相にはそうした名誉が与えられたことがないということです。一カ月後、中国の習近平国家主席が訪米した時、習主席はオバマ大統領と非公式な会談を持つために週末を一緒に過ごすという破格の待遇を受けました。

これらを見ると、マンスフィールド大使の頃とは隔世の感をおぼえます。有力な英字週刊誌『エコノミスト』は、オバマ・習会談を、「今世紀もっとも重要な二国間関係を作り直す好機」と呼びました。

GM　「気軽でくつろいだ首脳会談」と言われたこの米中会談は、カリフォルニアの「サニーランド」という旧家を舞台に、八時間という異例の長さに及んだのです。このような米中対話の深さを示す光景を見て、日本の国家官僚たちは羨《うらや》ましくてどんなに地団駄踏んだに違いないことか！

2 歴史問題論争――戦争の記憶と忘却

JWD　歴史的な転換点を、私たちが目撃していることは明らかです。アジアにおける現在の権力の移行はヨーロッパとの興味ぶかい対照を示しました。戦後のヨーロッパでは、ドイツが地域の主要国になりました。そして、戦後ヨーロッパにおける多国間の和解と協力の全過程は、今日欧州連合が多くの問題に直面しているとはいえ、注目に値します。

GM　過去七〇年のヨーロッパの経験からは、国民国家を超える地域共同体は歴史に対する共通の理解があってこそ実現可能だということがわかります。ヨーロッパにはその共通の認識があり、ドイツの代表は当然のこととして元敵国の戦争記念行事に参加します。アジアの現実は全く違います。アジア太平洋戦争について共通の認識を築き上げることができて初めて、戦争犠牲者の記念式典に日本の代表が中国や朝鮮半島の代表と並んで互いになんのわだかまりもなく堂々と参加できるようになるのです。

中国、南北朝鮮、ソ連（当時）を除外したサンフランシスコ講和は、実際に日本を近隣諸国から切り離し、そのため何十年ものあいだ、日本の指導者たちは、それらの国々と和平を結ぶために努力する必要などないと思ってしまったのでしょう。過去の歴史に向き合い、戦争責任の清算をせざるをえない時期が来ると、あまりにも多くの日本人がそうした歴史を忘れてしまっていたり、無知であったりするのみならず、真実ではない歴史神話を信じ込むように唆《そそのか》されたのでした。日本が侵略者であると同じく犠牲者であり、欧米の帝国主義に終止符を打ち、アジアを解放するため勇敢に闘ったと思っている人は多く存在しています。

一九九〇年代には、植民地主義と侵略、そして性奴隷とされた「慰安婦」について公式な謝罪が行われましたが、謝罪が表明されるやいなや、多数の著名人たちがそれらの歴史事実を真っ向から否定したのです。謝罪を「自虐的」と否定し、代わりに日本人が誇りを持てる歴史観に「正す」ことを主張する国民運動が勢いを得ました。学校で教える歴史や公民、社会の教科書の内容や記述をめぐる争いが巻き起こり、それは今もつづいています。「慰安婦」や南京〔虐殺〕などに関する見解の相違だけでなく、あの戦争は何だったのかという基本認識の問題です。一九九五年以降、保守勢力は、国家崇拝の中心的役割をはたす靖国神社擁護と、また、アジア女性を性奴隷にしたこと、南京虐殺、沖縄の強制「集団自死」に対する責任を否定し、さらに、保守勢力の歴史観を反映した教科書を普及させるために、あらゆる手を尽くして闘ってきました。日本の近隣諸国が、日本は本当に過去の歴史を認識しているのかと懐疑的になっても、驚くにはあたらないということです。
同じように、国家の記念式典などにも日本の自己中心的な性格が出ています。日本には、どちらの側に付いて戦ったとか、軍人だったのかといったことにかかわりなく、すべての戦争犠牲者が区別なく追悼される場が少ない気がします。沖縄の「平和の礎《いしじ》」は、国籍にかかわりなく、すべての犠牲者を追悼する感動的な記念碑です。その存在は、靖国神社のようなところとは対照的です。靖国はもっぱら日本人戦没者を、それも皇国のために亡くなった軍人だけを祀っています。

JWD 日本のメディアは当然、一九四五年以前における日本の帝国主義、植民地主義、侵略行為を浄化する言動に対する、中国や韓国の辛辣《しんらつ》な反応に焦点をあてます。同様の反応がアジア以外でも広がっていることを、どれほどの日本人が知っているのか、私はわかりません。たとえば、インターネット上のグーグルで英語の"Japanese textbooks controversy"（日本の教科書論争）、"Japanese war crimes"（日本の戦争犯罪）、"Japanese comfort women"（日本の慰安婦）、"right-wing revisionism in Japan"（日本における右翼修正主義）、"rape of Nanking"（南京大虐殺）、"Unit 731"（七三一部隊）、"visits to Yasukuni shrine"（靖国神社参拝）といった言葉を検索すると、膨大な数の検索結果が出ます。私が見た限りでは、すべてのコメントが批判的と言ってよいものです。私が一九七〇年代の初めに教鞭を執り始めた時、学生、同僚、ジャーナリストなどの人々が関心を持ち、彼らからよく聞かれた質問の一つは、なぜ今日の日本はその植民地主義による戦時期の違犯行為を糊塗《こと》せずにはいられないのか、ということでした。たいていは戦後ドイツと比較して、ドイツは正反対に第二次大戦という過去を日本より誠実に受け容れていると見なされています。

私は何十年にもわたって、「日本人」が帝国日本による侵略や残虐行為を認めていないというのは全く誤りであると指摘するのに多くの時間を割いてきました。マコーマックさんも私もよく知っているように、日本人の「戦争責任」に関するもっともすぐれた研究の多くが、日本人研究者やジャーナリストによってまとめられています。私たち二人とも、日本の草の根からの反軍国主義の表明を高く評価していますし、特に一九九〇年代以降に日本政府が出した多くの公式声明はもちろん知っています。それらは、中国ならびに朝鮮に対する侵略を認め、日本が近隣諸国にあたえた苦しみについて謝罪するものです。しかし、世界のメディアの目は、まるで津波のように、すべてを押し流してしまうのです。その理由として、安倍晋三首相のように際だって保守的な政治家と、自民党内で彼を支持する一団、志を同じくする新国家主義者たちが、謝罪を根底から蝕《むしば》み、戦争の記憶を愛国主義的な歴史運動に利用しようと絶えず画策していることが挙げられます。こうしたことが日本のイメージと評判に負の側面をあたえているということは、いくら強調してもしすぎることはないように思われます。

GM オーストラリアでは、また実際ヨーロッパやアジアの多くの国々でも同様なのですが、「慰安婦」問題をめぐる日本政府の曖昧な態度に対して特に強い憤り——それは極度の嫌悪感とさえ言えます——が鬱積《うっせき》しています。八〇代の元慰安婦の生存者たちと、彼女たちを嘘つきだと決めつける日本国内の人々との対立はあまりにも目立っており、世界の注目を引かずにはおきません。一般の人々は靖国神社にあまり興味がないと思います。しかし、靖国神社が戦前の制度の中心にあったことや、日本は特別な国であるという優越的なアイデンティティの構築に果たした役割を認識し、また国家の宗教関与を禁ずる憲法第二〇条を意識している人々は、政治家の靖国神社参拝を非常に深刻な問題だと見ています。もちろん、靖国神社が戦没者を慰霊すること自体が問題なのではありません。戦前、若者を死へと追いたてることとなった戦争賛美の総本山としての役割と、戦前回帰指向の勢力を結集するシンボルとなることが問題なのです。

JWD 一九四五年以前の日本を、基本的にアジアの恵み深い帝国主義・植民地主義国家であったと捉える新国家主義者たちの愛国主義的な見解は、まじめな学問的検証に全く反駁できていません。しかし同時に、修正主義者たちが、彼らを批判する国や人々のダブルスタンダード（二重基準）について感じている怒りを理解するのは難しいことではありません。たとえば東京裁判は、日本が現実に犯した侵略と残虐行為について取り扱いました。しかし、これらの裁判手続きを勝者の正義の行為と見ることも全く間違っているわけではありません。結局、誰の目にも明らかな理由によって、民間人を周到に標的にした空襲の問題はすっかり埒外《らちがい》に置かれてしまいました。日本だけが帝国主義的侵略や植民地主義的抑圧を実践したなどと言うことはできません。そうした実践のお手本を示したのは他ならぬ欧米諸国だったのです。

この他にも、認識を広げて、日本の批評家たちが指摘する戦後のダブルスタンダード的行為にも注意を向けることができます。一九六〇年代から七〇年代前半にかけて、米国がインドシナで行った残虐な戦争はまさにその一例です。ワシントンにあるベトナム戦争戦没者慰霊碑では、米国人が戦没者に敬意を払いますが、しかし殺された数百万のベトナム人には一切注意を払わない。これは日本の首脳たちの靖国参拝とまったく同列に置かれるものではありません。しかし国や社会のありかたを問わず、人々が戦没者に敬意を払う必要を感じるという重要な問題を提起しています。

歴史教科書の浄化と国家の戦争の記憶の糊塗《こと》に関して言えば、これは誰もがやることです。私自身の国でも、政府資金で運営される博物館についてであれ、マスメディアについてであれ、テキサスのように人口が多く保守的な州で採択されることを意図した教科書についてであれ、たしかにあてはまります。そして、国の歴史をめぐる広範囲にわたる検閲について言えば、中国に勝《まさ》る国はおそらくありません。

しかしながら、米国のダブルスタンダードに注意を向けたところで、公的謝罪を蝕む運動が日本の国際的イメージに与えたダメージを和《やわ》らげられるわけではありません。新国家主義者たちは、自ら「国家愛」の増進に専心しているのだと言いますが、それは人を欺《あざむ》くものです。何よりも、それはまじめな歴史学が目的とするところではありません。しかしもっとも重要なのは、こうした内向きの愛国主義は、大局的には日本にとって有害になるということです。国際社会で尊敬を得られないどころか、不信や憎悪さえ買うことになります。

GM 日本政府のスポークスマンは、口を揃えて同盟関係、特に米・オーストラリア・インドなどとの同盟を支える「共有された価値」に言及します。しかし様々な価値、とりわけ国家レベルの価値というのは定義するのが難しいものです。一九四五年以降、米国の庇《ひ》護《ご》の下で再構築された日本国家は、同じ天皇を囲み、その中心部に同じ軍国主義的な側面を引き継いでいます。また二〇〇〇年の森喜朗首相の発言に見られるように、建前は「保守」でも、一九三〇年代のファシストが信じていたような、日本は「天皇を中心としている神の国」という思想が強固に存在しています。二〇〇六年から〇七年にかけて政権の座にあった安倍晋三が二〇一二年の暮れ、再び総理になると、安倍内閣の閣僚のほとんどは、「明るい日本」をつくるため、「正しい歴史を伝え（る）」、「日本の前途と歴史教育を考える」国会議員連盟や「神道政治連盟国会議員懇談会」などの政治団体のメンバーだということが判明しました。これら、新国家主義、歴史修正主義、戦争責任否定、「美しい日本」と神道崇拝は、日本の外で多くの共感を得ることはできません。それよりも、二〇〇七年に米国連邦議会下院で採択された決議第一二一号のほうが「共有された価値」を代表していると思います。同決議は、日本に対して、多くの女性を強制的に性奴隷としたことの「歴史的責任を正式に認め、謝罪する」よう求めています。同様の決議がヨーロッパでも採択されています。安倍と彼の閣僚にとって、大和魂を誇る皇軍が大規模の拉致やアジア全域での女性の陵辱《りょうじょく》に関連づけられることほど、不愉快なことはないようです。安倍は、尊敬する政治家が一九四一年に対米宣戦布告した東条内閣の商工大臣などを務めた自分の祖父・岸信介であると言ってはばかりません。

ＪＷＤ　世紀の変わり目、日本が急速な近代化と西洋化に邁進《まいしん》していた時、そして、国内では混乱の高まりを経験していた時、日本の政界や実業界の保守的な指導者たちは、封建時代末期の「醇風美俗《じゅんぷうびぞく》」に立ち帰ろうという運動を強力に展開しました。過去の歴史においてどれほど多くの神話が創られたのかという点を含めて、この問題についての日本の学問的研究成果は非常に興味深いものです。一世紀後の今、私たちは同じようなことを目にしています。それは「美しい」日本の神話という、一九世紀後半から二〇世紀に現れた考えを明治、大正、昭和という時代を経て、より近代的に仕立て直したものです。

伝統文化の違いが価値体系の違いを生むことは誰も否定しません。しかし、近年について言えば、マコーマックさんが「共有された価値」とおっしゃったものの重要性について、私も原則として肯定的な意見を持っています。第二次大戦終結後、多くの日本人は「共有された価値」を、国連によって擁護され、また戦後日本の憲法に反映された理念——とりわけ、国際主義、反軍国主義、人権や公民権に基礎を置く民主主義——と関連づけてきました。

いま挙げた価値は、私たちが日本の伝統的価値と呼ぶものではありません。しかし、それらがアメリカ人の征服者によって日本に押しつけられたものにすぎないと言うのは——日本の保守主義者にもそのように言う人がいますが——はなはだしく人を欺く議論です。これらの価値は大正期や昭和初期に根っこを持っています。そして、これらの価値は、長く辛《つら》い抑圧と戦争の時期を経たあとも、日本中で立派に草の根の支持を得ていたのです。

私は戦争期や戦後間もない時期について何年も研究してきましたが、もっとも強い印象を受けたのは、あらゆる社会層の数えきれないほどの日本人が、戦後の荒廃した土地で再出発しようともがきながらも発揮した柔軟性と理想主義です。

「共有された価値」と理想はいぜん民衆の支持を失っていません。しかし現在、それらの価値と理想は、過去を美化し、自らが伝統的であるとか、独自の徳性を持っていると思う要素を復活させようとする人々からの攻撃にさらされています。たしかに、そこにはマコーマックさんが示唆するような一九三〇年代の響き——当時そのままの「大和魂」の神秘性——があります。かすかではありますが、内向きで時代錯誤的という点では、江戸時代の「鎖国」根性の響きさえ聞くこともできます。

こうして私たちは、いかにして歴史を記憶するか——そして人々が何を忘れることを選ぶか——という問題へ戻ることになります。おそらく、戦後に反軍国主義と民主主義がかくも人々の琴線《きんせん》に触れた最大の理由は、およそ三〇〇万人もの人々がいわゆる聖戦で命を落としたということにあります。三〇〇万人のうち、二〇〇万人は陸海軍兵士で、あとの一〇〇万人は民間人でした。この民間人たちは、空襲、計り知れない血が流された沖縄の犠牲、満州国などの植民地からの苦難に満ちた逃避行など、恐ろしい惨劇のなかで命を落としたのです。

戦争の終わりのころには、悲嘆にくれる理由のない日本人は稀だったでしょう。このような、日本人が帝国によって受けた理不尽な犠牲というのも、「明るい」日本を強調する歴史においては、当然場所を与えられません。私にはいぜんとして理由のわからない疑問があります。なぜいわゆる「愛国者」たちは、天皇の名においてあまりにも多くの臣民と、それを上回るアジアの人々を死に至らしめた指導者たちの名声を回復したいのだろうかという問題です。

私たちは過去をどのように記憶し、どのように忘却するのでしょうか。それを歴史に学ぼうとすれば、たいていの米国人と日本人がすっかり忘れていると言ってもよいもう一つの戦争に私たちは辿り着きます。すなわち、朝鮮戦争という、第二次大戦終結から五年もたたないうちに勃発した戦争です。

他方、北朝鮮と韓国の人々はこの大戦火をけっして忘れたことがありません。特に北朝鮮について言えば、今日にいたるまで同政府の見解と行動を方向づけているのは、この戦争なのです。

3 朝鮮半島問題――核と拉致をめぐって

GM　サンフランシスコ体制を擁護する人たちは、それが日本に民主主義と経済復興が根付くまでのあいだに息ができるよう、安全保障という空気を提供するものであったと言います。しかし日本が恩情あふれる占領を享受した反面、米国の朝鮮半島占領は過酷で抑圧的であり、結局それが朝鮮半島の分断とつながり、今日まで続く苦しみをもたらすことになったのです。サンフランシスコ体制が形成された一九五一年、朝鮮半島は分裂し、恐ろしい戦争の真っ只中にありました。しかし、悲劇の一端はサンフランシスコで署名された戦後構想にもあるのです。

今日、活況を呈する北東アジアの中で、あたかも一七世紀のごとき世襲制度の、誇大妄想的で抑圧的な独裁体制の北朝鮮は異質なブラックホールのようです。北朝鮮のパレード、収容所、大言壮語に満ちた放送は世界じゅうで嘲笑の的です。しかし、北朝鮮が攻撃的で風変わりであるのは明らかですが、歴史的背景を考えればその行動には理由があることがわかります。北朝鮮の二〇世紀は極端に暗いものです。北朝鮮においては、日本の植民地主義、国土と民族の分断、内戦と対外戦争、そして超大国アメリカとの六〇年以上に及ぶ対立といった、幾重にもつけられた傷が、その思考様式に深い影響を与えています。

朝鮮戦争は夥《おびただ》しい残虐行為の修羅場でした。長いあいだ、北朝鮮によるものだとされてきた朝鮮戦争でのもっとも凶悪な行為の多くはいわゆる「国連」軍が関与したものでした。韓国政府による近年の調査によって、戦争初年におよそ一〇万人の人々が韓国軍、米軍、国連軍によって殺されたことが明らかになっています。国連軍としては、国連の旗を掲げ、戦場へ赴いた最初にして唯一の戦いでした。米国主導の国連軍は制空権を握り、その空爆は情け容赦なく、しばしば無差別で、それはウィンストン・チャーチルが、民間人を標的にバラ撒くナパーム弾の使用に反対し抗議したほどです。米空軍は、第二次大戦の時、日本の都市へ投下したよりもずっと多くの爆弾を北朝鮮に投下しました。米空軍は、日本の主要都市の約四〇%を破壊し、五〇万の人々を殺戮《さつりく》したのですが、日本と朝鮮半島双方への爆撃の立案者であるカーティス・ルメイ将軍によれば、米空軍は朝鮮半島で「三年余りにわたって……北朝鮮と韓国のあらゆる街々を焼き払った」といいます。作戦に従事したパイロットたちは、もう爆撃する街など残っていなかった、と訴えています。空爆による死者は少なくとも三〇〇万人か四〇〇万人で、そのうち少なくとも二〇〇万人は北朝鮮市民でした。

戦争の後半になって米空軍は、パニック状態を作りだし、北朝鮮の人々を兵糧攻めにするためにダムを爆撃しました。ナチスが第二次大戦で実行した時、それは、はっきり戦争犯罪として罰せられた行為でした。さらに米国政府は、戦争の早い段階から核兵器使用を振りかざして脅迫したのです。これはダワーさんも論文でふれられていましたね。核兵器に対して北朝鮮が持つ強迫観念はこの時に始まったのです。

JWD　私は、いまマコーマックさんがおっしゃった論文の注釈（九九－一〇〇ページ、注20参照）で、米国の軍民の政策立案者たちが朝鮮戦争での原爆使用を真剣に議論した事実を紹介しています。そのなかには、中朝国境地帯に三〇発以上の原爆を投下し、放射能汚染地帯を作るというマッカーサーの提案もありました。つい最近、米国のメディアが報じたのですが、当時米国の著名な政治家も同様に、朝鮮半島の中央を横切る放射能汚染地帯をつくって、北朝鮮の再南下をふせぐよう勧告していたそうです。そのことは留意されるべきでしょう。これらの恐ろしい提案には考えさせられます。当時の政治家や軍の中枢《ちゅうすう》にいた人々は正気の沙汰とは思えません。そのような狂気が全く去ったと確信できる理由もありません。

今日、誰もが北朝鮮の指導者たちがいかに正気でないか、そして核兵器を手にした彼らがいかに脅威であるかということに注意を集中しています。しかし、誰も、といってももちろん朝鮮半島の人々は違いますが、朝鮮戦争時に米国が行った圧倒的な破壊を憶えていません。

GM　二〇一三年初め、米国はグアムから朝鮮半島へあの恐るべきB2爆撃機を発進させましたが、すぐに北朝鮮では、この行動は六〇年前の米国による空爆と核の脅威を想起させるジェスチャーと捉えられました。北朝鮮は、米国が地中深くにある施設を破壊するための「地中貫通型」爆弾の開発に相当の資源を注ぎ込んだことを知っていますし、毎年、北朝鮮の沖合い――ときに同国が領水内だと主張する場所――で行われている「フォウル・イーグル」という大規模な米韓合同軍事演習が本格的な戦争を想定した予行演習であり、事実上、脅迫の意図であることも承知です。北朝鮮の指導者は執拗《しつよう》な米国の敵意を前に、指導者の周りに団結し、結集するよう国民に呼びかけて応酬します。近年北朝鮮が核武装に乗り出しているのはその米国の脅威に対抗するためともいえるでしょう。

それは北朝鮮が侵略をたくらんでいることを示すものでしょうか。北朝鮮研究者のあいだでは、同国は「ハリネズミ国家」である、というのが大方の見方です。韓国、日本、米国という圧倒的に強力な敵を向こうにまわして、恐怖と同時に近寄ればどんな目に遭《あ》わせるかわからないぞと、恐ろしいうなり声をあげて断固立ち向かう決意を示し、体じゅうの針をピンと立てている状態です。朝鮮研究で名高い学者は、北朝鮮を遊撃隊国家（もしくは戦争国家）と定義し、その建国神話は、一九三〇年代の日本帝国を相手に勝ち目のない闘争を挑み、その後米国と闘い、奇跡的に生き延びてきた国家の物語だといいます。遊撃隊国家は自らの存在を正当化するために、また異常な国民総動員体制と抑圧的政策を正当化するために、外部の敵を必要とします。日本との闘い、あるいは米国ならびに国連軍との闘いのあいだ、そうした政策に反対する余地がありえなかったのと同様に、今も昔と変わりなく敵に包囲されている、と北朝鮮政府は主張するのです。

北朝鮮は、経済と特に軍事面で韓国にどんどん追い抜かれてしまったので、国防を核兵器に依存する道を選択し、二〇〇六、二〇〇九、二〇一三年と核実験を行いながら、確実にその精度を上げ、破壊力を向上させせました。それにしても、この一連の実験の最後の二つの破壊力は、米国が六八年前に広島・長崎に投下した爆弾をやや下回るものと見積もられています。

ＪＷＤ　北朝鮮による核の威嚇《いかく》に関して言えば、私たちは二〇〇一年の世界貿易センターとペンタゴンへのテロ攻撃に対する米国の対応を念頭に置く必要があります。ブッシュ大統領が次のような有名な声明を行った時のことです。すなわち米国は、イラク、イラン、北朝鮮という核保有寸前であると疑われる三つの国からなる「悪の枢軸」と対峙《たいじ》している、と。その意味が、米国はこれらの三国を軍事的に打倒するということにあるのは明白でした。言うまでもなく、それはイラクから始まり、米国はイラクへ侵攻し、サダム・フセイン体制を打倒しました。イランと北朝鮮の対応がいずれも核抑止力を持とうとする計画の推進であったということは、偶然でも不合理でもありません。

GM 私たちは北朝鮮の核の脅威という言葉を躊躇なく使うのですが、米国の核の脅威とは言わないのは興味深いことです。超大国は核で威嚇するものだと当然のように思っているからでしょうか。

私たちは、米国がイスラムに対して宣戦布告しているとの印象を与えるのを避けるために、ほとんど後知恵として、二〇〇二年に「悪の枢軸」に北朝鮮を加えたことを知っています。しかし、その「枢軸」に加えられることが北朝鮮国内に恐怖をもたらしたことは疑いありません。ブッシュ政権が、フセイン政権は核保有寸前にあるという虚偽の主張をし、イラクへ侵攻し同政権を打倒したのを見て、北朝鮮が「核兵器だけが真の安全を保障する」と確信したのは明白です。北朝鮮は一九九四年にジミー・カーターとの交渉による「枠組み合意」や、北京での「六カ国協議」に協力し、それが二〇〇五年九月の合意に結びつきます。しかし、「枠組み合意」の希望的見通しは、米国が軽水炉を提供する約束を取り消した時に消えてしまいました。

二〇〇五年の六カ国協議の合意は、(一) 北朝鮮に対する六〇年間の制裁を解除する代わりに、同国は核兵器とその開発計画を放棄する、（二）米国および日本は北朝鮮との関係正常化を推進し、朝鮮戦争終結の平和条約を締結する、などの点を骨子としていました。しかし、この合意がまとめられた翌日、贋金づくりとマネーロンダリングに北朝鮮が関与している疑いがあるとして、米国は北朝鮮に対する新たな中傷キャンペーンを開始したのです。交渉が頓挫するたびに、北朝鮮の核開発作業のテンポは速まりました。

そして二〇一一年以来、アジアにおける核の脅威は、皮肉なことに、思いがけない方向から襲ってきたのです。国際社会の目が北朝鮮の脅威に向いているあいだに、核の大災害を引き起こしたのは他ならぬ日本でした。二〇一一年三月一一日です。東京電力福島第一原子力発電所のメルトダウンは、日本の空、海、陸を広範囲に放射能で汚染し、不毛の地にしてしまったのです。火山活動が活発で非常に不安定な列島の縁にそって原子炉を設置することは、日本のみならず、その近隣諸国にも危険です。さらに、日本は北朝鮮よりもずっと多くのプルトニウムを貯蔵しており、その一部は日本国内に、一部はフランスでの再処理過程にあります。しかし現在、プルトニウムを永久的に安全に処理する技術はありません。

JWD　北朝鮮の核の脅威と一般に言われているものについては、もう一つ注意すべき捻《ね》じれがあります。北朝鮮の核によって、おそらく日本と韓国が自前の核兵器開発に関心を持つだろうと推測するジャーナリストやシンク・タンクの研究がこのところ増えているのです。日本が核を保有するかもしれないという懸念は、実際冷戦初期にさかのぼります。こうした懸念の表明は、今では機密解除されている米国の公文書の中で様々な折りに見ることができます。一九七一年から七二年にかけてニクソンとキッシンジャーが中国で秘密会談を行ったとき、彼らが議論したのは、中国が日米安保同盟を認めるべき理由の一つとして、この同盟がなければ日本は自立して核保有国になるかもしれない、ということでした。

今のところ、このような可能性は小さいようです。他方で、世にいう北朝鮮の脅威を喧伝することが、再軍備の道を急ぐことを望む日本の保守派や右派勢力の目的に手を貸すことになるのは、火を見るより明らかです。彼らがどの程度の再軍備を望んでいるのかについては明確な説明はなされていませんが、北朝鮮を悪者に仕立てることが彼らの再軍備の計画の真ん中に据えられていることは確かです。

これは、北朝鮮が卑劣な独裁制ではないとか、その核保有が深刻な問題ではないという意味ではありません。しかし、この問題は、とりわけ米中が明確な目的意識をもって共にあたれば封じ込めることができるのです。北朝鮮についてのパニックを亢進《こうしん》させれば、それはまさに日本国内の党派政治に利用されるということを肝に銘じなければなりません。

北朝鮮の脅威を煽ることは日本の軍事力を膨張させる計画の一部にとどまりません。それは、より大きな見取り図の中では、改憲を目指す保守派による広範な運動の一環となっている政治的課題なのです。

GM　世界にとって「北朝鮮問題」とは核兵器とミサイルを意味しますが、日本にとっては他の問題もあります。一九七〇年代後半から八〇年代はじめにかけて、北朝鮮によって一〇人以上の日本人市民が拉致されたことです。日本でこの問題はとても重要なので、二〇〇六年から〇七年にかけての安倍内閣は、拉致が「日本の直面しているもっとも重要な問題」と宣言しました。つまり、核やミサイルの問題よりも重要であるということです。二〇〇二年には北朝鮮が拉致を認めて謝罪し、〇四年には北朝鮮が生存する拉致被害者の帰国を認め、二度と拉致を繰り返さないと約束したのですが、日本では拉致はきわめて高度な政治的問題となっています。

拉致が重大犯罪であるということは言うまでもありません。しかし、朝鮮戦争の終戦協定がいまだに結ばれず、北朝鮮の緊張が長期に継続しているなかで起こったことです。かつて日本や韓国の政府の手で実行された拉致と搾取が、北朝鮮の拉致とそれほど異なるものではないという事実も考慮に入れて問題を見た方が良いと思います。一九三〇年代と一九四〇年代に、何十万人という朝鮮人労働者と慰安婦が皇国日本のために強制的に奉仕させられたことはよく知られています。一九五〇年代の同胞相撃つ朝鮮戦争の間に、朝鮮半島の多くの民間人と兵士が拉致されたことも知られています。さらに一九六〇年代、韓国の軍事独裁政権が、反体制と疑われた人々、学生や芸術家、知識人を海外から多数拉致した事件もありました。反体制のリーダーで後に大統領となる金大中の拉致は、一九七三年、東京滞在中のことでした。北朝鮮が謝罪した拉致はどんな理由であれ許されるものではありませんが、犯罪行為をより広い歴史の背景の中で理解する必要があると思います。

JWD　拉致が人道に対する罪であることには私も同感です。しかし、この拉致という犯罪も、帝国日本の手によってもたらされた、朝鮮人労働者と「慰安婦」に対する計り知れない苦難の前では影が薄くなります。同様に、そうした労働者や慰安婦の苦難も、北朝鮮が自国民に与えた悲惨さの前には影が薄くなります。どのようにして、また、なぜこのような抑圧体制がこれほど長くつづくのでしょうか。

GM　北朝鮮政権が独裁体制を維持するため、外敵の脅威と恐怖で国民をコントロールしていることに疑問の余地はありません。しかし、脅威は現実的かつ深刻なものであり、国民一丸となった対応を要求するのが不当だとも言えません。北朝鮮政権は、一九三〇年代に日本の帝国主義の時代に祖国のために闘った人々を国祖とし、その子孫たちが、一九五〇年代以降ずっと米国とその同盟国に抗して闘い、今でも大国の脅威と侵略から国を守るために闘っているのだと国民に説明します。北朝鮮の人々の多くがこの物語を信じているようですし、その他の物語は容赦なく抑圧されます。政権に嫌悪感を抱く人々の多くは、十分圧力をかければ、体制を屈服させ、核兵器計画を放棄させることができると考えがちですが、それは大きな誤りかもしれません。意外に思われるかもしれませんが、独裁体制は外からの脅威と国境での敵対的な戦争ゲームを必要とし、ある意味で、それが政権の追い風となるのです。敵や敵の包囲を取り除くことは、独裁政権からその正当性を支える大黒柱を外すことになるでしょう。

近年、韓国の二人の大統領は従来の「北朝鮮を屈服させる」という路線をやめ、いわゆる「太陽」政策と呼ばれるアプローチを試みました。金大中元大統領は、太陽と旅人の話を比喩として持ち出し、十分温かく接すれば北朝鮮も上着を脱ぎ捨てると主張したのです。実際、太陽はしばらくのあいだ輝いたのです。被害妄想にかられた金一族崇拝一辺倒の淀《よど》んだ空気は、短いあいだですが薄まり、弱くなりました。そして、明るい期待を抱かせる南北合意となったのですが、ソウルとその他の国々で政権が変わると合意はあえなく潰れてしまったのです。

そして、日本はどうなっていくのか。政府と国内のメディアは、自衛隊を強化し、米国との同盟を強化し、憲法を改定して日本を「当たり前」の軍備を備えた「当たり前」の国に変えようとする右派のアジェンダを正当化するために、北朝鮮の核、ミサイル、スパイ行為、拉致、麻薬などについて繰り返し喧伝し、利用しました。しかし、日本が北朝鮮との関係を「太陽」政策へと転換する可能性が垣間見えた時期もあったのです。二〇〇二年の小泉首相訪朝の折りには、金正日とのあいだで、平壌宣言として知られる合意が結ばれました。日本が植民地支配を謝罪し、北朝鮮は拉致行為を謝罪したのです。その後、和解から国交正常化への道を歩むはずでした。しかし、その逆に日朝関係は悪化してしまいました。日本側は自らの謝罪を忘れてしまったのか、それとも無視したのか、北朝鮮の拉致対応は十分ではなく不誠実だという非難の声が日本を埋め尽くしたのです。拉致や核に対する日本の憤慨は当然のことでしたが、右派の政治目的のために非常に誇張されたものでもあったのです。結局、平壌宣言は実行されませんでした。

「北朝鮮問題」が未解決であるため、北東アジア地域に核武装化が広がる恐れがあります。対照的に、広く合意が得られた二〇〇五年の――そして、その前の二〇〇二年に日朝間で大筋合意された――原則に戻ることで、西太平洋および北東アジアにおける軍縮の一環として、朝鮮半島に非武装化の可能性が出てくることでしょう。それが将来の「パックス・アジア」にとって好ましい方向であることは間違いありません。

ただ、日本がそうしたいのかどうかが問題です。朝鮮半島の平和と正常化は日本を動揺させるでしょう。それは必然的に在韓米軍の撤退をともない、在日米軍基地の存在理由が問われることになるでしょうから。要するに、「朝鮮半島問題」の解決は「日本問題」つまり、属国問題と切り離すことはできないのです。

4 改憲――揺らぐ反軍国主義の理想

JWD　この対談で扱う様々な問題が、まるで漁夫の網のように、いかに互いに密接に結びついている性質のものであるかを思うと、目を開かされる思いです。日本において、従来よりも急速で広範な再軍備への圧力が高まっているという問題に立ち入ることなしに、北朝鮮問題については議論できません。そして、日本の再軍備も同じく拡大している改憲運動と切り離すことができません。

私は一九四六年に公布された日本国憲法の始まりに関する膨大な公文書を読んできました。米国人が草案を書いたということ、またその際に「不戦」条項、象徴天皇、広範な人権保障については草案の内容を変えてはならないという強い意志が存在したことは否定できません。他方で、あまり広く評価されていないことですが、日本人も英語で書かれた草案の翻訳の仕方に相当程度かかわり、そうしてできた日本語の草案は帝国議会の公聴会や秘密委員会で長期的に審議されていました。

何十年も前、自民党の結党直後、政府は著名な英米法学者である高柳賢三を長とする憲法調査会を設けました。調査会の役割は憲法の起草および制定過程を調査することで、高柳はこの責務にきわめて真剣に取り組みました。調査は一九五七年から一九六四年まで続けられ、その結果、詳細で大部の報告書がまとめられました。その内容は自民党にとっては予期に反した、無念なものでしたが、事実上、委員会は最終的に制定された憲法が相当程度まで日米合作の産物であると結論づけたのです。

おそらく一般的にはほとんど知られていないでしょうが、チャールズ・ケーディス大佐をはじめとする、憲法の原案を書いた米国人たちが、次のような了解と予測のもとに起草にあたったことです。すなわち、日本人は主権回復後に憲法を改正することができ、十中八九はそうなるだろう、憲法は日本国民の憲法であって米国人のものではない、日本人は憲法を見直す一切の権利を有している、という了解と予測です。

現在にいたるまで、そのような改正が行われていないことは注目に値します。この点についてマコーマックさんはどのようにお考えですか。

GM 半世紀以上にわたって、日本人は概ね憲法の諸原則を支持してきました。そして、その原則の下で民主主義と繁栄を享受した結果、「そのままにしておこう」というのが、おそらく国民多数の感情を反映したところでしょう。

多くの点で素晴らしい憲法ですが、いくつかの重要な点で問題を含んでいます。第一に、マッカーサー元帥は、自ら記したように、「天皇は国家の頭の位置にある」(Emperor is at the head of the state) ことを確実にするために、第一条から第八条を盛り込むことにとても熱心でした。しかし、ダワーさんがかつてお書きになったように、「天皇制民主主義」という概念は言葉からして自己矛盾です。にもかかわらず、最近の議論は「象徴天皇」という用語を抹消し、天皇の地位を本物の元首に押し上げようという改定を目的とした議論一辺倒です。

第二に、文言自体は変わりませんでしたが、憲法の解釈が根本的に変わったこと、とりわけ平和主義規定の解釈改憲が行われてきたことが挙げられます。憲法第九条が「陸海空軍……は、これを保持しない」と宣言しているにもかかわらず、日本は侮《あなど》りがたい規模の陸海空の兵力を保持しています。その海上兵力の近代化ぶりは、米国を別とすれば、東アジア一を誇っています。日本の自衛隊は多国間の軍事演習や平和維持任務に参加し、今ではジブチに最初の海外基地も建設しています。米軍や他国の軍と並んで参戦するという危うい一線をまだ越えてはいませんが、最近になって、日本政府とそれを後押しする米国は、集団的安全保障の枠組みの中でこの決定的一線を越える決意を固めたようです。

　第三に、第九条に焦点をあてるあまり、二〇一二年に与党自民党が公にしたような改定案全体の重要性をおろそかにするのは誤りだということです。改定案は、将来、改憲自体が今よりずっと容易になるように改憲手続きの改定に狙いをさだめ、「義務」を強化して「権利」を弱める条項や、国旗・国歌（日の丸・君が代）の尊重義務を定めたものです。加えて、自民党改憲案は、「緊急事態」や「公共の利益と公共の秩序」が要請する場合には国家の権限を拡大することにつながる新条項も盛り込んでいます。日本がこのように人権を制限し政府の説明責任を緩和する条項を憲法に導入しようとすれば、実質的に近代社会の進歩に逆行するという、世界に先例がない非常にユニークなケースになるでしょう。

JWD　私はやや異なる見方をしています。日本の現憲法は、その起源においても内容においても、すでにユニークです。今日、「改憲」と言う場合、私たちは、それが人権の保障や国家権力の抑制という方向に進むと考えるものです。日本が反対の方向へ行くことは、明らかに時代に逆行することでしょう。しかし、国家の権限を強化し、その説明責任の縮小を目的として、法律あるいは法律以外の措置に頼るのは何も日本にユニークなことではありません――日本と同様に民主主義国家と見なされている他の国々にも、そうしたことはあります。私の国アメリカを見てください。

今や、国家の大権を不断に強化することは米国では標準的な手続きです。それは改憲によってではなく、法律上の発議や言い逃れによって成し遂げられてきました。一九六〇年代から米国では「帝国大統領制」の出現についての議論が始まりました。「帝国大統領制」は、対内的には秘密活動を、対外的には隠密作戦を行う絶えず拡大する「国家安全保障国家」(national security state) と歩調を合わせるようになります。9・11以降は、軍事化と説明責任の回避が急速に目立つようになりました。つい最近も、オバマ政権の下で米国が大規模な「監視国家」になってしまっていることを私たちは知りました。様々なやり方で人権と市民的自由が危険にさらされているのです。

米国の政策を支持する人々は、この危険に満ちた世界に対応するには人権や市民的自由の制限は必要かつ「当たり前」だと主張します。しかし私は、偉大な民主主義国家がこのようなやり方で軍事化を進め、説明責任を放棄するようになったことは、悲劇の物語と見ています。この米国で起こっていることが、日本の保守主義者たちが進めようとしている改憲へ向けた政治的な活動に対する見方にも、自然と影響を与えることになりました。私は、だんだんと米国のような方向へ進み、透明性なき「国家安全保障国家」になってゆく日本の姿を見たくないのです。そして私は、日本が自らの安全保障政策を、太平洋の対岸にある、あまりにも広範にわたって秘密主義的で説明責任を負わない「国家安全保障国家」の指示に従属させることは、最良の利益にはならないと思うのです。

いずれにせよ、最終的に日本は改憲するだろうという見方に、私は同意します。そして、それはきわめて早い時期かもしれません。しかし同時に、次のことを指摘したい。在日外国人の権利に関することなどはその一例ですが、つまり、日本には進歩的な立場で改定や修正を提案している憲法学者もいるということです。憲法学者の中には、「象徴的な」天皇を維持することを提案したり、反軍国主義の諸原則という類例のない要素を大切にしている人たちもいるのです。

私は現在の日本国憲法の理想主義を賞賛しています。それだけでなく、私はとても多くの日本人が何十年もの間、現憲法を擁護してきた誠実さと活力を賞賛します。米国人が憲法草案を準備する際に、彼らが米国の法律モデルだけを手本にしたのでないことには留意すべきでしょう。むしろ反対なのです。憲法に男女平等を盛り込もうとしたことで有名な、若くて何カ国語にも長《た》けたベアテ・シロタは、ジープで東京の街へ出かけてゆき、手本とすべき文献として、様々な言語で書かれた憲法関連文献を見つけられる限り、手当たりしだいに集めてまわりました。そして実際、男女の平等に関するものを含めて、日本国憲法で保障されている人権の多くが、合衆国憲法では保障されていません。

もちろん、そのことは「反戦」条項についても妥当します。同条項に込められた理想主義の先例は、一九二八年のケロッグ・ブリアン条約に見出すことができる。この条約の正式名称は「国家政策の道具としての戦争を放棄するための一般条約」(General Treaty for Renunciation of War as an Instrument of National Policy) といいます。この条約の内容は漠然としていて、平和主義者のレトリックにすぎないと、人は言うかもしれません。米国も他の列国も、自国の憲法に戦争放棄を書き込むことなど夢にも思っていなかったのだから、日本の憲法に反戦条項が挿入されたのは欧米人によるダブルスタンダードの一例だと言うかもしれません。

それでも、反軍国主義の理想を掲げることは、崇高で貴重な、価値のあることです。そしておそらく、一九四七年に施行された憲法は、そのことを他のどの憲法よりも雄弁に物語るものです。このことは第九条だけにあてはまるのではありません。この理想は憲法の前文でも表明されました。反軍国主義の理想をすべて消し去ることが含まれたかたちで改憲が行われれば、その時こそ日本は本当に「当たり前」の国家になる、と信じる人がいるかもしれません。しかし、そのような改憲によって、この血なまぐさい現代世界でほとんど類例を見ない貴重なものを、日本は失ってしまうことになるのです。

GM 憲法第九条は、時代の先をゆく条項でした。それによって一九四五年以降、日本人が戦場で誰一人として殺さず、また誰一人として殺されなかったことを誇るべきだと思います。しかし、日本政府の代表が、この記念碑的な条項を自慢して吹聴したことがあったでしょうか。また、近隣諸国にそれを採用するよう勧めたなどということは、さらに記憶にありません。それどころか、日本人のなかには、第九条を、まるで屈辱的障害物であるかのように、恥だと感じている人がいます。

日本は、非軍事化と平和を目標とする一般的な目標と、歴史上最強の軍事大国との同盟に依存し、軍事大国の戦争と核兵器を支持する行動とのあいだで引き裂かれています。核兵器の犠牲となった国であるのにもかかわらず、日本は米国の「拡大抑止」の「傘」にきわめて強く執着しているようです。時には、「核の先制使用」政策を維持するように米国を促したり（中国を対象に一九六五年と一九七五年）、あるいは、核の「先制不使用」政策を宣言しないように要請したりさえしました（北朝鮮を対象に一九九四年と二〇〇三年）。

そのようなわけで、日本は憲法に明文化された平和と非軍事化を掲げるめずらしい国だと広く認められていないのです。

アジアと世界が必要とするのは、「当たり前」の、戦争のできる、武力を振りまわす国が増えることではなく、非暴力の世界、核兵器と全般的な軍縮という問題に取り組む国が増えることです。すなわち、第九条の言葉で言えば、「国際紛争を解決する手段」としての「武力による威嚇又は武力の行使」を放棄する国が増えることとなのです。

5 領土紛争と東アジアのナショナリズム

JWD 今日の諸問題に取り組むとき、私たちはいつも、第二次大戦における日本の降伏、次いで米国による対日占領、そして一九五一年から五二年にかけてのサンフランシスコ講和および日米安保両条約に行き当たります。憲法問題については、一九四六年までさかのぼることになる。朝鮮戦争については、一九五〇年から一九五三年までさかのぼります。さらに、そのような戦後初期に根を持つ、今日の途方もなく大きな問題がもう一つありますね。

GM ダワーさんは現在、アジア太平洋地域の沿岸水域のあちこちで緊張や警戒を引き起こしている領土問題について考えておられるのですね。竹島（独島）をめぐる韓国との紛争、いわゆる北方領土をめぐるロシアとの紛争、尖閣（釣魚）諸島をめぐる中国との紛争、それらの紛争のほとんどすべてが、一九五一年にサンフランシスコで合意された「片面講和」に根を持っている。さらに南方でも、サンフランシスコ体制の負の遺産としての領土問題が、南シナ海の西沙諸島や南沙諸島をめぐる争いというかたちで、中国とフィリピン、ベトナム、その他の東南アジア諸国のあいだで火を噴いている。私は、そうした係争のいくつかについて、また、あまり知られていない東シナ海地域の問題も取り上げてみました。

JWD マコーマックさんは、日本と中国・韓国が対峙する領土紛争をどのように受けとめていますか。なぜ、それらの問題は第二次大戦が終わっても解決を見なかったのでしょう。そして、突然それらが激しく深い憎悪を生み出し、爆発的に昂揚していった理由はどこにあるのでしょうか。たとえば、尖閣をめぐる争いは、わずか二、三年前までは休眠状態でしたし、そのまま制御可能な小さい問題のままにしておくべきでした。マコーマックさんは、憂慮すべき、この現在の対立をどう説明されますか。

GM 米国は、サンフランシスコ講和で、いくつかのきわめて重要な境界線を未画定のまま残しました。それらは、ダワーさんが言及されたロシア（当時ソ連）と日本、韓国と日本、中国と日本の国境線を含みます。そのような処理の仕方は、紛争を生じやすい境界線の問題を未解決のままにしておくことで、日本を近隣諸国との敵対的な関係に追い込み、そうすることによって日本を長期にわたる米国への従属関係に置くことを意図したものでした。米国はある時、一九五〇年代半ばの日ソ交渉における「南千島」（日本側のいう

「北方領土」）の件に見られるように、問題解決を積極的に禁じさえしたのです。

これらの島嶼領土には他にもいくつかの問題が重なっています。その一つが、領土は多ければ多いほど良いとする「ナショナリズム」で、もう一つは、一九八二年に成立した国連海洋法条約体制です。この国連海洋法条約で、世界の「公」海の多くが排他的経済水域に分割されて個々の国家に割り当てられ、分け前にあずかった国家は、領海一二海里（約二二キロメートル）の外側でも、二〇〇海里（同三七〇キロメートル）までの水域で資源所有権も同等の特別な権利を享受することになりました。さらに同水域については、領海基線から最大三五〇海里（同六五〇キロメートル）にまでおよぶ大陸棚の権利もあたえるものです。

この国連海洋法条約体制は、「公海」という世界の公共財を劇的に縮小させ、長い海岸線を持つ国や、旧帝国主義列強など遠方に島々を保有する国々に特権を与えたのです。中国がほとんど何も手に入れることができなかった一方で、たとえばフランスやイギリスといった国々は帝国主義の遺産として手元に残っていた島々のおかげで海洋特権を確保し、強化することになりました。米国はいまだにこの海洋法を批准《ひじゅん》していないきわめて数少ない国々の一つです。それにもかかわらず、米国は他のどの国よりも大きい、一二〇〇万平方キロメートルにおよぶ広大な排他的経済水域を保有しますが、その八〇%は海外領土に付随したものです。

日本も大いに得るところがあり、にわかに世界第六位の領海保有国となりました。北西太平洋上にある沖ノ鳥島という名の小さな岩礁《がんしょう》は、一九三一年に日本が最初に領有を主張したものですが、満潮時に海面から七〇センチほど突き出す岩は、従来ほとんど重視されていませんでした。それが国連海洋法によって、日本は本土の陸地面積をもしのぐ四三万平方キロメートルの水域を主張する根拠を手に入れたわけです。沖ノ鳥島周辺の太平洋の深海は、潜在的に鉱物資源が豊富であると考えられており、いま、日本政府と東京都はこれらの取るに足りないような、しかし重要な岩礁が、海面上昇で水没しないように必死に護岸工事を行っています。また日本政府は海洋資源の調査と採取技術の研究開発に多額の投資を行っています。

他方、世界の関心は、東および南シナ海における中国の領土主張に向けられています。たとえ、中国の領土主張のすべてが認められたとしても、日本が沖ノ鳥島のような場所で獲得した権益に比べれば、本当はたいしたことはないのです。それにしても世界のメディアは、敵対的ではないにしても、中国の主張を懐疑的に扱い、反対に、日本やイギリスやフランスや米国の主張にはおおむね目をつぶっています。このように不公平な海洋分割体制のなかで、中国は自らの主張に根拠があると確信している地域では、けっして譲歩することはないだろうと思います。

JWD　領土問題の背景には、あまり広く知られてはいませんが、海洋資源における自らの支配権の拡大を目的とした大国による国連操作という構図が存在しています。このことが、中国による近接海域における領土主張の背景にあります。そして、韓国の主張も同様です。尖閣（釣魚）諸島、竹島（独島）をめぐる紛争については、他に特筆すべきことは何かありますか。

GM　中国と韓国が関係する島嶼は、日清戦争と日露戦争の勝利によって日本が手に入れたものです。日清戦争の終わる直前の一八九五年に尖閣（釣魚）諸島を、日露戦争の戦利品として一九〇五年に竹島（独島）の領有を宣言しました。一九四五年に日本の降伏条件を示したポツダム宣言を厳密に読むと、一九五一年のサンフランシスコ講和条約の締結によって、これら二つの島嶼区域は、中国と韓国へそれぞれ返還することが一つの条件になっていることがわかります。

ところが、周知のように、中国も韓国も講和会議に招請されませんでした。当時、両国は、そのような領土主張を提起するどころではない、大変な混乱状態にあったのです。しかし一九五二年、韓国政府は一方的に、「李承晩ライン」を引いて独島を支配下に置き、一九七二年には、沖縄返還によって日本が尖閣諸島を管理下に置きました。今日では、この二つの島嶼区域に実効支配をおよぼすには、相手に破局的な暴力を用いる以外は考えられなくなってしまいました。

争点は、これらの島々にどこの国の旗が翻《ひるがえ》るかということだけではなく、漁業資源、海底に埋蔵されている可能性のある鉱物、石油、ガスなどの資源の問題でもあります。沖縄の日本復帰、そして日中国交正常化からおよそ四〇年間、日本・中国・台湾政府のあいだでは尖閣諸島の領有権をめぐって対立が起こるのを防ぐため、「棚上げ」方式が機能してきました。日本は尖閣での一切の開発を控えてきましたし、三つの政府すべてが、近接する水域で事態を過熱させないように、また、衝突を避けるために協力してきました。竹島（独島）については、より声高な論争が見られますが、尖閣と同様に二〇〇五年まではやはり暗黙の合意が、ナショナリスティックな感情の噴出を抑えていたのです。

尖鋭的な形で表れている領土問題は、近年日本側が二つの島嶼に対して、一方的に領有を決定したことに起因しているように思われます。

尖閣をめぐる対立は二〇一〇年に始まり、日本が三つの島々（魚釣島・北小島・南小島）を購入し国有化したことで、日中間の暗黙の合意はこわれてしまった。日・中・台のいずれもが、しばしば醜い感情をあらわにしました。関係する三つの政府にとって、昂揚する国民感情を抑えるのが良いことは明らかですが、コントロール不能な事態が起こる可能性も否定できません。しかし、選択肢はあまり多くはありません。司法による介入や調停という手段で解決できる見通しは低い。というのは、敗訴した側にとっては「勝者総取り」方式を意味するからです。いずれかの政府による主権の譲歩ということも考えられません。

唯一考えられる道は、問題を棚上げするかつての方式を復活することにあると思われます。ただし今度は、現状維持によって問題を「凍結」させるだけでなく、資源の共同開発と環境保全における協力をも認めるよう、方式を拡大・深化させるべきです。二〇一三年四月の日台漁業「協定」は、そのような方向を指し示すものかもしれません。

究極的な挑戦は、二〇〇九年に示された当時の鳩山由紀夫首相による提案を実現すること、つまり、東シナ海を協力の海に変えることです。北方領土とは違って、尖閣には誰も住んでいませんし、独島には韓国のプレゼンスを示す小さな標《しるし》があるだけですから、東シナ海や日本海（中国でも韓国でも、これらの海はいずれも「東海」として知られています）を結ぶ資源利用のための協力協定といったものが、全く不可能ということはないでしょう。しかしそれは、共通の合意により設定された枠組みの中で、個々の国家主権の意義を弱め、縮小する試みにかかっていると思います。

JWD　尖閣（釣魚）諸島について言えば、最近の資料によれば、一九五〇年の時点では、新たに誕生した中国共産党政府は、同諸島に対して強い主張を持っていませんでした。そこから議論を始めることも可能です。中華人民共和国がサンフランシスコ講和会議に招請されていたなら――そうなるべきだったのですが――尖閣諸島に対する主権の問題は容易に解決できていたかもしれません。加えて中国は、一九七〇年代初期の日中関係が回復した時に、次のようなことをはっきり言っています。尖閣問題は棚上げし、後世のより「賢明な」世代の日中の指導者が解決することを望む、と。

GM　そうなんです。一九六八年に国連のECAFEが、尖閣（釣魚）諸島周辺の海底に石油とガスが豊富に埋蔵されているかもしれないと発表するまで、同諸島に関心を払う政府などなかったというのが事実です。しかし国連委員会の発表はたちまち東京・北京・台湾の関心をかき立てました。そして、その時は沖縄「返還」問題が政治日程にのぼっていましたから、東京・北京・台湾の三つの政府が、自らの領土主張を持ち出してきたというわけです。

6　台頭する中国のゆくえ

JWD　前節で扱った領土主権の主張をめぐる紛争に加えて、サンフランシスコ講和と日本の独立回復期にさかのぼる最大の領土問題、すなわち台湾問題についても議論しなければなりません。

日本のナショナリストたちは、北海道の北にあるいくつかの島々と沖縄の南にあって尖閣と呼ばれる岩礁に情熱を注いでいます。彼らも、自らの主権がおよぶ領域の中でもきわめて重要な地域である台湾が切り離されていることについて中国が抱いている感情は理解することができるはずなのですが。実際のところ、中国における日本批判論者は、関心はあるのかもしれませんが、台湾問題の背景にある長く苦々しい歴史についてあまり多くを語りません。

台湾問題には、一世紀以上も前にさかのぼる、本当に屈辱的な「三重の切り離し」という事実があります。切り離しの第一弾は中国に対する主権侵害として、日本が台湾を奪って獲得したことに端を発しますが、それは一八九五年に日清戦争での勝利にともなう戦争処理の一つとして行われました。台湾切り離しの第二弾は、一九五〇年六月の朝鮮戦争勃発後の時期に米国によって画策されました。その時米海軍は、台湾へ敗走していた国民党軍の息の根を中国共産党軍が完全に止めるのを防ぐために、台湾海峡へ向けて出動したのです。この「第二段階」の切り離しは、冷戦政策の基本的な特徴を示すものですが、中華人民共和国が排除されたサンフランシスコ講和会議で固められました。それが行きついた先が、米国政府が指示し、日本政府が一九五二年から一九七二年まで従うことを余儀なくされた「中国封じ込め」政策でした。

中国からの台湾切り離しの第三弾は、一九七二年に始まりますが、これはもっとも紛《まぎ》らわしく、また矛盾したものです。日本と米国が中国との関係を回復した時、日米両国は「一つの中国」の存在を認識することに同意しました。たとえば、一九七二年に出された日中共同声明において日本政府は、「中華人民共和国が中国の唯一の合法政府である」ことを承認しました。その直後の項目では、新たに承認された北京政府が、「台湾が中華人民共和国の領土の不可欠の一部であることを重ねて表明する」とうたわれています。

しかし実際に行われていることといえば、一九七〇年代以降、「パックス・アメリカーナ」の下での日米軍事政策の重要使命は、軍事的対中封じ込め——特に台湾海峡での封じ込め——の継続です。これは米国の戦略立案者が、中国に対するA2/AD能力の維持と言っているものです。この頭字語は「接近阻止/領域拒否」(anti-access/area denial)という意味ですが、その内容は、特に台湾海峡の、より一般的には中国沿岸水域の戦略的支配を中国の手に渡してはならないというものです。

これは、中国の目から見れば大きな屈辱です。仮に立場を逆転させ、外国勢力が米国に対して、A2/ADの抑制を加えるという意思を固めたとしたら、米国がどのような反応をするか、ちょっと想像してみてください！　最近まで、中華人民共和国はアジア太平洋地域における「パックス・アメリカーナ」の戦略的覇権に挑戦するに足るほど強力ではありませんでした。そして今でも米国の全般的な軍事力に挑戦するには、かなり水をあけられています。

しかしながら中国は、近隣の水域において軍事的影響力を行使する能力を増大させつつある。言うまでもなく、これは「抑止力」という用語で言い表されていて、ちょうど米国のA2／ADのようなものです。しかし、そこには、ナショナリズムという非常に強力な要素も存在します。このナショナリズムは、強力で自主的な大国についになったという誇りと一対になった怒りです。

中国人以外の人にとって、外国勢力によって加えられたこの屈辱の認識がどこまでさかのぼるものかを察知するのは難しいことです。屈辱は、一八三九年から一八四二年にかけて行われたアヘン戦争にさかのぼります。この戦争で英国が中国を打ち破ると、欧米列強によって屈辱的な不平等条約が中国に押しつけられる道が敷かれることになりました。日本人は、このような情況に、一八九四年から九五年の日清戦争を戦うことで加わります。この時日本人は中国から台湾を切り取り、中国東北部の満州と呼ばれる地域への侵入を開始しました。第二次世界大戦後は、アメリカ人が対中不承認と封じ込めの政策を携えて立ちはだかり、その傍らには日本人が従順な属国としてお供していました。一九七二年には関係が回復したにもかかわらず、台湾を争いの中心点に置きつつ、封じ込めと屈辱が今日までつづいているのです。

こうしたことすべてが積み重なり、一世紀半にわたる中国の怒りとなっているわけです。

GM　一九世紀半ばから列強の帝国主義下で中国が経験した屈辱が、今日の中国のナショナリズムの熱源になっているのは確かです。しかし私は、中国と日本が本当に深く公平な関係を樹立できなかった理由を理解するためには、台湾といった具体的な問題を超えて、もっと深いところまで見ないといけないと考えています。

歴史を大局的見地から眺めると、中国と朝鮮を支配していた唐・新羅の連合軍に百済・大和朝廷連合軍が敗北した六六三年の白村江の戦い（白江口之戦）以来、日本は一〇〇〇年以上にわたって、その西方にある中華の世界秩序に組み込まれないよう、中国とは慎重に距離を置き、独立を保ってきました。日本は常に（一三世紀の元寇のような）大陸からの侵略に怯《おび》える一方、一六世紀に秀吉の下で、二〇世紀には皇軍に見られるように、日本が大陸へ侵攻したこともあります。平等と相互尊重に立つ日中関係は、歴史にもほとんど先例がなく、今そのような日中関係を築くのは困難なのです。

一〇〇〇年以上にわたって、その西方にある中華帝国の世界秩序の従属国となることに抵抗してきた日本が、この半世紀余の間に、「パックス・アメリカーナ」の下で、遠い東方の大国の属国になる道を選んできたというのは皮肉なことです。

JWD　中国と日本が真の平和的関係を築くことができていないということの根源が、一三世紀以前にさかのぼるというのは実に気のめいることです。一九世紀半ばにさかのぼる近代以降においては言うまでもなく、それ以前の過去の歴史においても、日中両国間に平等と相互の尊重が存在していた時代を特定することはほとんど不可能です。しかし、他方では、楽観主義でいられる理由となるような、別の一面もあります。

二国間で共に高く評価し、共有できるような歴史の実例について考えてみると、もちろん、もっとも顕著な例は、先ほどマコーマックさんが言及された白村江の戦い（白江口之戦）以前からその後何世紀にわたって、日本が中国文明に巨大な恩義を負っているということです。そして近代になって、二〇世紀前半には、孫逸仙〔孫文〕や魯迅といった、中国における文化上および政治上の重要人物が、欧米化や近代化という挑戦（欧米の帝国主義の脅威は言うにおよびません）に、いかに対応するかという点について、日本から教訓を得ようとします。

近年においても、前向きで建設的な関係を見出すことができるのは明らかです。一九七二年以来、中国と日本および米国のあいだで経済の密接な相互依存が進展したのは驚くべきことです。最近の緊張とナショナリズムの対立は、こうした前向きで建設的な歴史の影を薄くするものかもしれません。しかしこうした歴史に、将来の建設的な日中関係へ向けての、具体的で実体をともなった基礎を見ることができるのです。

マコーマックさんは、様々な論稿で東シナ海情勢に留意されていますが、台湾・沖縄を含む同地域の交流の発展には、さらなる平等と相互の尊重への期待が窺えます。

GM　台湾について言えば、共産党と国民党という旧来の二大ライバルが、半世紀余のあいだに徐々に相手を受け入れ、交流、協力する関係ができたことが、東シナ海で最も希望の持てる進展だと思います。六〇年前に一時休止した未決着の内戦が蒸し返されるとは考えにくい。正式な国交はなくても、実務レベルで経済的な連携は急速に拡大し、その結果、相互に利益が生まれ、理解が深まっています。もちろん、いまだに大規模な軍事体制が相互に敷かれています。中台間の緊張を解きほぐし、東シナ海共同警備隊のようなものに両者を統合していくのは、次世代の課題でしょう。

また、一般に見過ごされているものの、東シナ海地域でもう一つ、将来の明るい見通しを持てるところがあります。市民レベルで民主主義がもっとも進んでいるもう一つの場所は、台湾と並んで、沖縄です。私は、市民的民主主義の価値と原則が、しだいにこれら周縁の島嶼地域から東京や北京といった大国の中心へ広がる時が来ることを心から願っています。地域の将来について、この東シナ海の市民社会で現在進行中の対話は、大国好みの「固有の領土」という非妥協的な発想とは用語からして違っています。

台湾は、周知のように、いまだ軍事的には中国と対峙していますが、独裁制の終焉後の二〇年ほどのあいだに民主的価値観と制度を着実に成熟させてきました。国民主権や人権がとても真剣に考えられています。私がもっともよく知る沖縄について言えば、沖縄は市民による非暴力の政治抗議運動が行われている並はずれた実例です。島ぐるみの運動は、世界一番と三番の大国による東シナ海のさらなる軍事化が進むことを防いでいます。

沖縄の人々が、憲法に定められた平和、民主主義、主権在民の原則に熱心であるのとは対照的に、東京の「属国」政府が憲法の原則に傲岸不遜《ごうがんふそん》で冷淡だというのは民主主義の生きた教訓ではないでしょうか。この逆さまの世界では、東京やワシントンにいて大国の立場から「民主主義」や「価値の共有」を支持する人たちが、現実の生き生きとした草の根の民主主義を忌避し、無力化し、抹殺する方法を見つけようと躍起になっています。

その他、東シナ海のさらに南西部や北部にある小さな島々でも、草の根民主主義の試みが行われています。たとえば、与那国島は、モーターボートでわずか二、三時間の距離にある台湾の町と姉妹都市協定を結び、台湾との繋がりを深めていますが、そうしたことはもっと広く知られ、支持されてよいことでしょう。また、対中封じ込めを名分とする馬毛島の軍事使用を阻止しようとして種子島の人々が行っている闘いも、同様にもっと広く知られ支持されるべきでしょう。これらの島で活動する市民グループは、沖縄本島の米軍基地反対の長い闘争から、数からいっても、とてもかなわないような国家権力に対して普通の市民たちが影響を及ぼすことができるというメッセージを受け止め、励まされているのです。東シナ海全体のネットワークが活発になれば、そうしたメッセージをもっと広められると思います。

JWD　東シナ海の、いわゆる周縁に向けるマコーマックさんの眼差しには刮目《かつもく》させられます。そして私も、沖縄と台湾がこの地域で強い影響力を持ち、他の手本になりうるという、あなたの楽観主義を共有できたらと思います。しかし、私の考えでは、大国はあまりにも圧倒的に強力です。それでも、この周縁地域を注視することは、そして、それぞれ東京と北京に向けて負の光を投げかけている市民社会の側に立って沖縄と台湾を見つめることは、いろいろなことに気づかせてくれる点で啓発的です。

台湾と中華人民共和国が広範にわたる融和と協力関係を進展させてきたことについて考える時、マコーマックさんのおっしゃった点は、とくに肝に銘ずるべきでしょう。そこから、話を再び「パックス・アメリカーナ」の前提となっている挑発的な、A2／AD戦略に戻さなければなりません。A2／ADという概念は、米国とその同盟国である日本・韓国が、中国の沿岸水域における支配力を否定し、台湾海峡における軍事介入に備えるものです。そして、台湾にある政府自身も、この独善的で攻撃的な政策に組み込まれることで問題がいっそう大きなものになることは明らかです。

「台湾」は、中国自身が解決しなければならない問題です。そして、北京と台湾双方は何十年もかけて建設的な方向へ歩んできました。中台激突という最悪のシナリオを鼓吹《こすい》することは、私がエア・シー・バトル構想について論じたように、この地域における米国の封じ込め政策の強化を正当化することに他なりません。そのような行為は、不信と軍事的緊張を高めるばかりです。

7 「パックス・アメリカーナ」か「パックス・アジア」か

GM 六〇年前、アジア太平洋戦争後の東アジアを安定させるためにサンフランシスコで作られた取り決めは、当時の超大国によって一方的に押しつけられたもので、永久に存続することはできません。何よりも、経済と軍事の両面における中国の台頭は「パックス・

アメリカーナ」の終わりを告げています。変容する政治および経済の現実に直面する私たちは、どのような新世界秩序に期待できるでしょうか。

答えは、「パックス・アジア」といったもののなかに見出されなければなりません。このパックス・アジアという考えは、アジア地域でしだいに注目を集めています。オーストラリアも含まれますが、オーストラリアでは時々「パックス・パシフィカ」という表現が使われることもあります。パックス・アジアの性格はまだはっきりしていませんが、すべての参加国が同意すると思われることは、この「平和」が、単独の「大国」の覇権の下での平和体制ではなく、協商主義というか、権力の均衡と共同体を重視したかたちをとるべきだということです。

私たちは実際、このような方向に向けた、将来が期待されるような進展を目撃したのです。そのぶん失望も大きかったのですが。一九七〇年代における中・日・米間の和解以後の建設的な関係が破綻《はたん》し、刺々《とげとげ》しいものに変わったことにはがっかりさせられました。一九七〇年代は、希望と楽観的見通しでいっぱいでした。そして、本当に力づけられるような、多くの進展があったのです。その動きは朝鮮半島にも及び、一九七二年には衝撃的な南北会談が実現し、双方が祖国再統一へ向けて努力することで合意したのでした。すなわち、統一は自主的に、外国勢力の押しつけや干渉を受けることなく、平和的方法によって実現されるべきであり、「思想やイデオロギー、制度の相違を超越して……民族の大団結をはかるべきである」とされたのでした。あれから四〇年が経ち、そのような精神がその場限りのものだったかと思うと悲しくなります。

JWD　私も同感です。特に中国に関して言えば、日本、米国、その他の諸国とのあいだでここ数十年発展させてきた経済的相互依存の度合いは本当に注目すべきものであり、また基本的に建設的なものです。この点で、米ソが対峙した、本家本元の冷戦とは比較することができません。

この相互依存関係がなくなることはないでしょう。ですから、すべての関係国が、新規の軍事テクノロジーと軍事的エスカレーションではなく、この相互依存の増進と強化に集中するべきです。ここに将来への希望があります。

GM　どんなものが作られるにせよ、サンフランシスコ体制後の「パックス・アジア」にあたって、いくつか克服されなければならない障壁があります。大国の覇権的支配を避けると同時に、大国にも小国にも有益となるような体制を取ることが必要です。そしてもちろん、米国をどのように関与させるかという問題が残ります。

現在までに、アジア共同体については二つの基本計画が存在してきました。一つは米国指向で、サンフランシスコ体制の枠内でまとまる構想です。もう一つはアジア指向で、ポスト・サンフランシスコ体制の枠組みでまとまる構想です。二つを分かつのは、「米国歓迎型」（前者）か「米国排除型」（後者）かという点でした。前者はＡＰＥＣ（アジア太平洋経済協力）日豪プロジェクトの基本方式に倣《なら》い、後者は、一九九〇年代にマレーシアのマハティール・モハマドが提唱したＥＡＥＧ（東アジア経済グループ）に倣ったものです。

これまで、日本ほど米国のための中心的役割を続けていくと主張した国はありません。この「米国歓迎型陣営」対「米国排除型陣営」の対立を解決する方法を明確に示すことは難題です。一方では、どの地域共同体においても同様ですが、地域の国家と国民が最優先されるべきです。他方で、米国は重要な役割を続けてきたので、米国を排除することは事実上不可能です。おそらく、ポスト・サンフランシスコ体制の方式（フォーミュラ）づくりでは、地域の二大国である中国と日本の力を相対化すると同時に、地域外の大国と連携することが重要です。さらに、破滅的な戦争や武力による超法規的干渉を防ぐ抑止力となるような、韓国、ＡＳＥＡＮ諸国、オーストラリアといった中小国のイニシアチブがカギになるでしょう。

究極的には、ポスト・サンフランシスコ体制には大小の正加盟国だけではなく「特別な」関係国ないしは地域外部からの参加国も組み入れられるべきですが、国家主権が国民の合意に基づくという民主主義の原則を再確認するものであることが何より重要です。あくまで主権在民なのです。

もちろん、これらは非常に大きい挑戦です。しかし、中国問題に戻りますと、強い中国が、アジア地域や世界の秩序にどんなかたちで影響をおよぼすのかという不安と懸念が持たれていますが、これに対して、私はここ何十年かのあいだに、何百万という数え切れない中国人が、貧困の底から救いあげられ、物質的にかなり快適な生活が可能になったことを喜んでいます。他方で、中国はいぜん権威主義的でいくつかの基本的人権を否定しています。米国は対中封じ込めの「エア・シー・バトル」構想を推進していますが、中国が膨張主義者だということを示すものはほとんどなく、国境線上で自制していると考えられます。少なくとも予見できる将来に、中国は経済発展とともにたいへんな格差を抱え込んだ社会特有の、途方もなく大きな矛盾と全面的に向き合い、取り組まなければならないようになります。長い時間がかかるかもしれませんが、いずれ中国では、個人の自由と基本的権利が拡大し、保障されるようになると思います。

JWD　アジアにおける権力のより公平な再編、そして、より民主的な社会としての中国の将来像に関するマコーマックさんの楽観主義は人を引きつけるものです。しかし、安定した「パックス・アジア」を成し遂げ維持することは、とても難しいものとなるでしょう。マコーマックさん自身も承知しておられるように、「米国排除型」と呼ばれる選択肢は現実的ではありません――そして、ここで私たちの用いている用語について考えることが有用かもしれません。米国はそれ自体、「アジア」国家ではありません。しかし、「太平洋」国家であるということについては、その正当性は確かにありますし、なおアジア太平洋の巨人でもあります。米国がその位置から追い出されそうにはありません。

将来の「パックス・アジア」における権力の中心は間違いなく、少なくとも中国、日本、米国を含めた三頭体制になるでしょう。そして、マコーマックさんの持論であるアメリカの属国としての日本が、果たして創造的で新たな多国間秩序づくりにあたり、実際問題として真に独立した国として、創造的な政治的手腕を発揮する役割を担えるかどうかという問題が持ち上がります。そうなれば、素晴らしいことです。しかし言うまでもなく、私たちは、「東アジア共同体」へ向けて曖昧な構想を提起した鳩山内閣の身に降りかかった悲惨な有様を実例として見てしまいました。ワシントンも、そして東京の政官界のエリートも、この東アジア共同体構想を一顧だにせず拒否しました。

それから、その他に誰が将来の「パックス・アジア」に意味のある形で統合されていくべきかという、より広い問題があることも論を俟《ま》ちません。ASEAN、APEC、そして他の既存の地域機構は、意味のある地域統合を実現することに明るい見通しを与えるとともに、逆にその難しさも示しています。もし、「パックス・アジア」を最終的にこの地域における軍縮や真の集団的安全保障の取り決めにまで拡大したいと考えるのなら、そのような統合の困難さは明らかなことです。北朝鮮は、少なくとも大国による圧力によって金体制が態度を軟化させるまでは、いぜん不確定要素でしょう。実際のところ、朝鮮半島の緊張を和らげることを企図した現在の「六カ国協議」——構成国は米国、中国、ロシア、日本、南北朝鮮——が「パックス・アジア」の将来に向けた可能性の中心について考えるうえでも、ひとつの道筋になるかもしれません。

中国の国家資本主義の成果を否定する人はほとんどいないでしょう。しかし同時に多くの問題も提起しました。結果として、何百万という数え切れない中国人をひどい貧困の底から救いあげたことは、ここでの問題を超えて驚くべき達成です。同時に、中国は今、資本主義が成長する途上の段階の自転車に乗っているような状態です。ですから——汚職、搾取、富と福祉の巨大な格差、桁はずれの環境破壊、民族の違いに起因する不満などといった——目もくらむほど巨大な問題を回避するために全力でペダルを漕《こ》ぎつづけなければならない。おそらくここから帰結することの一つは、中国は大量の諸資源を軍事の近代化に割いているような立場にないということです。このことが、現在あらゆる側で起こっている、新規のハイテク軍拡競争への圧力を和らげる本当の機会になるかもしれません。

アジアにおける米国の軍事的覇権の時代を意味する旧来の「パックス・アメリカーナ」の凋落の前触れ——そして、将来に希望を与えるものというよりは懸念材料——である「中国の台頭」は、好戦的な中国のナショナリズムと不可分でありつづけており、それは日本との関係で言えば、しばしばあからさまな憎悪となってあふれ出ました。私は、日本を標的とした、この悪意に満ちた行いが、中国共産党政権にとって一種の安全弁として機能していることは否定できないと思います。国内問題をめぐって中国国民のあいだにきわめて広範な不満があるために、専制的な指導者たちはこの安全弁を利用して、そのような不満を日本や日本人に向けてそらしているのです。まさに今、中国のマスメディアは反日的な毒舌にあふれています。このような情況が一過性のものなのか、それとも中国の若い世代全体の将来の見通しをも害してしまうものなのか、判断が難しいところです。

私は、早晩中国の人民が自由を拡大できるだろうという、マコーマックさんの希望や楽観主義を共有します。それでも、日本は確固とした民主主義国であり、中国はそのような国ではないという事実を見失うべきではありません——もっとも、日本の民主主義も時に不具合や機能不全状態にあるようですが。そして私たちは、互いにナショナリズムを競い合うことが計り知れない巨大な困難をもたらすということを、忘れることなどできないのです。

GM 「パックス・アジア」への移行を含む様々な問題、とりわけ中国の将来がどれほど不確実性に満ちたものであるかを強調するダワーさんの議論を私は理解できます。しかし、私たちにはその不確実性にどのように対応するのかという戦術的なセンスに加えて、より広い視野に立った戦略的な構想も必要だということを強調しておきたいのです。中国に関して言えば、私はダワーさんのおっしゃったことに二つの留保をつけたいと思います。

第一に、時おり中国を吹き荒れる反日キャンペーンが、国家という後ろ盾によってある程度操作され、許可を受けているものであることは疑いをいれません。しかし、この反日キャンペーンには「逆輸入」の要素も存在します。反日キャンペーンに駆り立てているのは、他ならぬ日本が自らの過去と正面から向き合っていないという広範な怒りであり、日本政府の上層部による歴史の否定や歴史修正の動きによって絶えず駆り立てられていることもあります。私が尊敬する中国人研究者は、北京政府は、国民感情を煽動するより抑制することに多大な努力を払っていると論じています。

第二に、少なくとも表面的には中国が民主主義国ではなく、日本は民主主義国だという点には同意する一方で、私は歴史学者として、二つの国を生みだした情況を慎重に考慮に入れる必要があると考えています。一方で、経済発展と改革の途上にあって、何百万という人々を貧困の底から救いあげ、彼らに権力に参加する手段を与えてきた——現在までのところ国民政治の水準まで拡大してはいませんが——資本主義と共産主義の混合国家がある。他方、頭を切り取られ、形式は民主主義国でも、実際には「属国」である、産業と経済のビヒモス〔旧約聖書に出てくる怪物〕がいます。

そして、三角形のもうひとつの頂点に、無法かつ軍国主義的で、世界支配の野心を持つ問題の国、米国がいます。私たちはまた、冷戦期をまたぐ「パックス・アメリカーナ」の時代にアジアで広がった民主主義が、たいていは米国と日本の後押しを受けた独裁体制もしくは軍事独裁政権に対抗する民衆運動によって成し遂げられたものであるということを思い起こさねばなりません。例を挙げれば、インドネシアしかり、フィリピンしかり、韓国しかり、台湾しかり、といった具合です。北朝鮮も中国も、早晩、政治変革を経験することでしょう。どういった変革になるのか、それをいま私たちが予測するのは難しい。しかし、現存の米国型「民主主義」路線や中国型「共産主義」路線と似通ったものにならないだろうと思います。

本当にめまぐるしく変わる複雑な世界のなかで、私たちに確信できることは、人が歴史をつくり、人は歴史をつくり続ける、ということに尽きます。

[訳者紹介]
明田川融 あけたがわ・とおる（序言、第一章、第三章）
1963年生まれ。現在、法政大学、立教大学などで非常勤講師を務める。
専門は政治学。
著書：『日米行政協定の政治史——日米地位協定研究序説』（法政大学出版局）
『沖縄基地問題の歴史——非武の島、戦の島』（みすず書房）他。
訳書：ジョン・W・ダワー『昭和——戦争と平和の日本』（監訳、みすず書房）他。

吉永ふさ子 よしなが・ふさこ（第二章）
静岡女子短期大学英文科卒業。陶芸および翻訳業。
訳書：ガバン・マコーマック『北朝鮮をどう考えるか』（平凡社）。

ジョン・W・ダワー John W. Dower
1938年生まれ。マサチューセッツ工科大学名誉教授。
専門は日本近代史・日米関係史。著書『吉田茂とその時代』(中公文庫)、
『敗北を抱きしめて——第二次大戦後の日本人』(岩波書店)、
『昭和——戦争と平和の日本』(みすず書房)、
『忘却のしかた、記憶のしかた——日本・アメリカ・戦争』(岩波書店)など。

ガバン・マコーマック Gavan McCormack
1937年生まれ。オーストラリア国立大学名誉教授。
専門は東アジア現代史。
著書『属国——米国の抱擁とアジアでの孤立』(凱風社)、
『空虚な楽園——戦後日本の再検討』(みすず書房)など。
共著『沖縄の〈怒〉——日米への抵抗』(法律文化社)など。

NHK出版新書 423

転換期の日本へ
「パックス・アメリカーナ」か「パックス・アジア」か

2014(平成26)年1月10日　第1刷発行
2015(平成27)年8月30日　第5刷発行

著者　ジョン・W・ダワー　ガバン・マコーマック

訳者　明田川 融　吉永ふさ子

発行者　小泉公二
発行所　NHK出版
〒150-8081 東京都渋谷区宇田川町41-1
電話 (0570) 002-247 (編集) (0570) 000-321(注文)
http://www.nhk-book.co.jp (ホームページ)
振替 00110-1-49701

ブックデザイン　albireo
印刷　亨有堂印刷所・近代美術
製本　藤田製本

Printed in Japan ISBN978-4-14-088423-2 C0236

NHK出版新書好評既刊

〈香り〉はなぜ脳に効くのか
アロマセラピーと先端医療
塩田清二
いい香りを「嗅ぐ」だけで認知症が改善し、がん患者の痛みがやわらぐ。各界から注目の、〈香り〉の医学のメカニズムを明らかにした画期的な一冊。
385

ケインズはこう言った
迷走日本を古典で斬る
高橋伸彰
ケインズなら、日本経済にどのような処方箋を書くか？ マルクスやハイエクとの比較もまじえ、現代に生きる古典の可能性を探る刺激的な書。
386

「調べる」論
しつこさで壁を破った20人
木村俊介
革新的な仕事をする人はいかに問いを見つけ、無心に調べ、成果に落とし込んでいるのか。多様な証言から、「調査」の意外な本質を照射する。
387

8・15と3・11
戦後史の死角
笠井潔
「大本営」から「原子力ムラ」へ。なぜ破局は繰り返されるのか？ この国の宿命的な病理を暴き、克服すべき真の課題を考察する著者渾身の一冊。
388

引きだす力
奉仕型リーダーが才能を伸ばす
宮本亜門
メンバーをやる気にさせ、職場を活性化するコツとは？ 世界的に活躍する演出家が教える独自のリーダー術と、互いに高め合う会話術・創作術。
389

貧困についてとことん考えてみた
湯浅誠
茂木健一郎
パーソナル・サポートの現場を訪ねる旅から見えてきた、貧困の現状、必要な支援、日本社会の未来とは。活動家と脳科学者の刺激的な対論！
390

NHK出版新書好評既刊

ギリシャ神話は名画でわかる
なぜ神々は好色になったのか
逸身喜一郎
嫉妬ぶかく、復讐心に燃え、呆れるほどに好色。「理不尽」な神々を描いたルネサンス・バロック期の名画から、ギリシャ神話の世界を案内する。
403

いのちを守る気象情報
斉田季実治
台風、大雨、地震など8つの大きな自然災害について、その基本メカニズムや予報・警報の見方、そしてそれをどう実際の行動に結びつけるかを徹底解説。
404

憲法の創造力
木村草太
憲法の原理からどう良きルールを創造すべきなのか。君が代斉唱、一票の格差、9条などホットな憲法問題を題材に考察する実践的憲法入門書。
405

政治の終焉
御厨 貴
松原隆一郎
政党政治はなぜかくも空洞化したのか。「改革」幻想の20年間を検証し、コミュニティ再構築から真の保守のありかたまで、喫緊の課題を徹底討議!
406

登山の哲学
標高8000メートルを生き抜く
竹内洋岳
日本人初の8000m峰全14座完頂を果たした登山家が、病弱だった少年時代からの歩みを辿りながら、難局を乗り越えるための哲学を明かす。
407

クリエイティブ喧嘩術
大友啓史
大河ドラマ『龍馬伝』で史上最年少の演出チーフを務め、その後もヒット作を立て続けに手掛ける映画監督が明かす常識破りの仕事術!
408

NHK出版新書好評既刊

古語と現代語のあいだ
ミッシングリンクを紐解く

白石良夫

古典と近代の言葉の連続をたどり、「古語」と「現代語」を繋ぐ失われた輪を探すことで、日本人の国語観を揺さぶり、古典の深奥に誘う一冊。

409

レイヤー化する世界
テクノロジーとの共犯関係が始まる

佐々木俊尚

情報技術の革新は、産業、労働、国家、人間関係をいかに変容させるか。第一人者が、テクノロジーの文明史を踏まえて未来を鮮明に描きだす。

410

死を見つめ、生をひらく

片山恭一

死は、生の終着ではなく、生への「出発」である。『世界の中心で、愛をさけぶ』の著者が、私たちの人生観の転回を求める〝逆転の思考〟を提示する。

411

「売り言葉」と「買い言葉」
心を動かすコピーの発想

岡本欣也

言葉を「伝える」ことと、言葉で「動かす」ことは違う。コピーライターならではの視点から、人の心をとらえて行動へと結びつける言葉の発想に迫る。

412

実践！田舎力
小さくても経済が回る5つの方法

金丸弘美

地域おこしで実績のある著者が、六次産業化、着地型観光、コンパクトシティなどこれからのまちづくり実践のポイントを豊富な事例をひきつつ紹介。

413

運命を変えた33の言葉
プロフェッショナル 仕事の流儀

NHK「プロフェッショナル」制作班

本田圭佑、高倉健、栗原はるみ、岡田武史……彼らが一つの道を究めるうえで指針としている言葉とは？ 珠玉の言葉と感動のエピソード！

414

NHK出版新書好評既刊

スポーツ・インテリジェンス
オリンピックの勝敗は情報戦で決まる
和久貴洋
華々しい舞台の裏側で、どのような「情報戦」が繰り広げられているのか。最前線で活躍する著者が、その知られざる実態を明らかにする。
415

無気力なのにはワケがある
心理学が導く克服のヒント
大芦 治
やる気が出ないのは、生まれつきじゃない！ 無気力に陥る心理メカニズムや思わぬ健康被害の可能性を明らかにし、身を守る実践的ヒントを提示する。
416

交渉プロフェッショナル
国際調停の修羅場から
島田久仁彦
軍事紛争調停、環境・エネルギー交渉の達人として世界の修羅場をくぐり抜けてきた著者が、国際交渉の舞台裏と日本外交の新たな可能性を綴る。
417

保守とは何だろうか
中野剛志
近代保守思想の該博な知識をふまえ、経済、金融から財政、教育にいたる「国のかたち」の作り方を明快に説く。ステレオタイプな保守像を覆す待望の著！
418

大相続時代がやってくる
すっきりわかる仕組みと対策
田中 陽
もう〝関係ない〟では済まされない！ 来たる大相続時代において、誰もが押さえておくべき相続リテラシーを、ゼロから養うコンパクトな一冊。
419

鉄道と刑法のはなし
和田俊憲
鉄道史に残る大事件から身近な軽犯罪まで。鉄道と刑法の意外なつながりを気鋭の刑法学者が奇聞・逸聞を交えて論じ尽くす前代未聞の「法鉄学」書！
420